De: ____________________

Para: ____________________

"Quanto a mim, o SENHOR
me conduziu na jornada..."
GÊNESIS 24.27

MAURÍCIO ZÁGARI

NA JORNADA COM CRISTO

Um livro para quem quer entender o sentido da vida e viver uma vida que faça sentido

mundocristão
São Paulo

Publicado por Editora Mundo Cristão

Os textos das referências bíblicas foram extraídos da *Nova Versão Internacional* (NVI), da Biblica Inc., salvo indicação específica. Eventuais destaques nos textos bíblicos e citações em geral referem-se a grifos do autor.

CIP-Brasil. Catalogação-na-publicação
Sindicato Nacional dos Editores de Livros, RJ

Z23n

Zágari, Maurício
Na jornada com Cristo: um livro para quem quer entender o sentido da vida e viver uma vida que faça sentido / Maurício Zágari. - 1. ed. - São Paulo: Mundo Cristão, 2016.
144 p.:il.; 15 cm.

1. Discipulado (Cristianismo). 2. Vida cristã. 3. Crescimento espiritual. I. Título.

16-30918

CDD: 234.2
CDU: 27-46

Categoria: Inspiração

Publicado no Brasil com todos os direitos reservados por:
Editora Mundo Cristão
Rua Antônio Carlos Tacconi, 79, São Paulo, SP, Brasil – CEP 04810-020
Telefone: (11) 2127-4147
www.mundocristao.com.br

1ª edição: maio de 2016

Sumário

Agradecimentos

À diretoria da Editora Mundo Cristão, por acreditar que eu poderia escrever esta obra com a excelência que o tema merece.

A Silvia Justino, por seu apoio crítico e construtivo no processo de edição, o que tornou este um livro muito melhor.

A Cláudio Tupinambá, por ler os originais desta obra e tecer comentários muito pertinentes.

A Alessandra e Laura, por existirem e me ajudarem na jornada.

Ao meu inseparável companheiro de jornada, que me chamou por graça e amor e não desiste de mim. Ao Autor da vida, obrigado.

Jesus lhe disse: “Siga-me...”
MATEUS 8.22

Uma palavra inicial

A jornada da vida não tem sido fácil, não é?

O terreno é pedregoso, íngreme, difícil. No meio do caminho há pedras de sofrimento, precipícios de dor, rios bravios de medo e ansiedade, montanhas de dúvida e incerteza, vales de solidão, avalanches de perda e traição, perigosas florestas de luto e tristeza.

Mas, apesar das dificuldades, você precisa ir em frente.

A jornada é árdua. Não seria ótimo ter alguém que o guiasse pelo caminho, sustentasse nas pedras, ajudasse a transpor os precipícios e a atravessar rios, escorasse nas montanhas, acompanhasse nos vales, protegesse nas avalanches e escoltasse nas florestas? Um companheiro capaz. Braço forte e ombro amigo. Habilitado a enxugar suas lágrimas e a abraçá-lo nas horas de impotência e abatimento. Alguém que o faça repousar em verdes pastagens e que o conduza a águas tranquilas. Que lhe restaure o vigor e o guie nas veredas da justiça. Um companheiro que, mesmo quando você andar por um vale de trevas e morte, o faça sentir-se seguro, sem temer perigo algum, por saber que ele está a seu lado e o protege. Um companheiro cuja bondade e fidelidade o acompanhem todos os dias da sua vida.

Felizmente, esse companheiro de jornada existe.

Seu nome é *Jesus*.

Nascido em um estábulo, educado nas artes da carpintaria, preparado pelo Espírito de Deus, esse homem atuou publicamente por somente três anos, menos que a duração de um curso universitário, metade do tempo que alguém precisa para se tornar médico no Brasil. Mas pelo que fez nesses três anos, nesse pouquíssimo espaço de tempo, Jesus de Nazaré alterou o curso da História. Levou ao surgimento de uma civilização. Revolucionou a trajetória da humanidade, transformando bilhões de vidas.

Imagine o que significa ter esse homem como companheiro na jornada da sua vida. Em especial, porque ele não foi apenas um homem. Foi, e ainda é, muito mais do que isso, como você verá neste livro.

Existem duas formas de enfrentar a jornada da vida: com Cristo ou sem Cristo. É possível, sim, optar por uma viagem solitária, sem Jesus. Mas, nesse caso, você dependerá somente de si, com todas as limitações, dificuldades, falhas e imperfeições que todos nós temos. É uma escolha arriscada.

Mas há os que prosseguem na jornada com Cristo. E, com ele ao seu lado, cada acidente geográfico da vida se torna muito menos perigoso, e você tem muito mais forças para ir em frente e superar cada desafio.

E essa diferença... faz toda diferença.

Além disso, ter Cristo na jornada proporciona uma vantagem extraordinária a quem o tem como companheiro. O que está além do horizonte é um mistério. Nenhum de nós sabe exatamente onde a viagem termina.

Mas Jesus sabe.

Ele conhece o itinerário, está ciente de todas as rotas e tem como superar cada barreira: ter Cristo na jornada é contar com a certeza de chegar ao fim em segurança. Mais do que isso. É saber *onde fica o fim*, pois Cristo *é* o caminho (Jo 14.6).

Este livro tem como objetivo transmitir mensagens de esperança e edificação, paz e segurança, alegria e transformação. Elas foram escritas com o intuito de revelar aquilo que a Bíblia afirma ser o sentido da vida e de apontar o caminho bíblico para viver uma vida que faça sentido.

Na jornada com Cristo expõe verdades teológicas profundas numa linguagem simples e em estilo extremamente acessível a qualquer pessoa. Assim, você chegará ao fim da leitura tendo desfrutado de um duplo benefício: 1) conhecer de modo bastante fácil as doutrinas fundamentais da fé cristã; e 2) descobrir como vivenciá-las em seu dia a dia, de modo a colher frutos cotidianos, emocionais e espirituais.

Este livro, enfim, lhe apresenta o caminho da paz e da vida eterna que só se encontra em Cristo. Peço a Deus que derrame graça sobre você a cada página, e que chegue ao final da leitura não apenas compreendendo melhor a Cristo e as bênçãos que só ele pode dar, mas pronto a formar uma aliança de vida eterna com ele.

Que esta leitura lhe dê mais conhecimento, paz e alegria e conduza você ao destino certo, vivendo cada dia... *na jornada com Cristo.*

Primeiros passos

O prêmio

> Os nossos sofrimentos leves e momentâneos estão produzindo para nós uma glória eterna que pesa mais do que todos eles.
>
> PAULO DE TARSO

A jornada daquele homem começou de modo nada agradável.

Esqueça o ambiente bonitinho e angelical que você costuma ver nos presépios ou nos filmes sobre o Natal. Você já visitou o estábulo de um hotel-fazenda? Já viu como é o local onde os cavalos e as vacas ficam abrigados? Se já teve essa experiência, puxe pela memória e tente se lembrar dos cheiros, dos insetos, do que havia pelo chão. Agora você começa a ter uma percepção real de como foram os primeiros momentos de vida daquele bebê, o início de sua jornada na terra.

O ar que pela primeira vez entrou nos pulmões daquele recém-nascido foi o do interior de um estábulo. Sua maternidade não foi uma clínica limpinha, cheirosa e desinfetada, mas um ambiente insalubre que reunia uma mescla de odores de animais, de estrume e de urina. Quem sabe as moscas, que costumam infestar esses ambientes, tenham pousado nos bracinhos e no rosto do bebê, passeado por seus lábios, incomodado sua mãe. Carrapatos fatalmente andavam por ali. Talvez pulgas ou pombos, que muitas vezes se abrigam nas reentrâncias do teto.

O recém-nascido tampouco foi deitado num bercinho fofo e cheio de bichinhos de pelúcia e móbiles. Sua primeira cama foi um cocho, um comedouro, objeto rústico e sem *glamour* em que vacas, cavalos, jumentos, bodes e outros animais deixam saliva e muco nasal ao mastigar o alimento. Sim, o bebê não foi deitado em um berço de ouro e cetim, mas, provavelmente, ficou cercado de baba de animais. Acredite, não é o tipo de local em que você gostaria de deitar seu filhinho após o nascimento.

A jornada daquele menino prosseguiu. Perseguido pela maldade humana, ele teve de fugir para o distante Egito. Como terá sido a viagem, por centenas de quilômetros, para aquele menininho? Confortável? Pense em quando você viaja com seus filhos e eles, mesmo acomodados no conforto do ar condicionado do carro, com seus bancos macios, começam logo a perguntar, entediados: "Já estamos chegando? Falta muito? E agora, já estamos chegando?". José e Maria levaram seu filhinho, ida e volta, por caminhos áridos no lombo de um animal. Dura, a jornada.

O tempo passou e o menino cresceu dentro da carpintaria de seu pai. Ali, aprendeu e se dedicou ao trabalho braçal, entre serragem, pó de madeira, pregos, cravos e farpas.

Com dignidade, sim, mas numa vida que exigia esforço, suor e muitas horas de dedicação física e mental. Dureza.

Adulto, sua jornada mudou radicalmente de rumo. Saiu do anonimato, expôs-se à sociedade, tornou-se alvo de desconfiança, calúnias e inveja. Sua vida consistia em percorrer longas distâncias, encontrando pessoas de todos os tipos, muitas delas hostis e que pagaram seu amor transbordante com ódio assassino. Também conviveu, por opção, com a escória da sociedade de então: prostitutas, leprosos, ladrões, hipócritas, corruptos. Não, aquele homem não viveu cercado pelos perfumados e bem-nascidos, paparicado pelos chiques e famosos; ele conviveu com os indesejáveis, os doentes, os imundos.

Você já conseguiu perceber como a jornada de vida daquele homem foi difícil? Foi árdua. Não houve moleza. Tampouco terminou de forma pomposa, luxuosa ou bonita: o inocente foi preso como um criminoso, ofendido, esbofeteado, humilhado, cuspido, xingado, caluniado, açoitado, torturado. Crucificado. Morto.

Sua jornada foi pedregosa, do estábulo à cruz.

Mas há um detalhe fundamental.

Repare no que dizem as Escrituras: "E agora, Pai, glorifica-me junto a ti, com a glória que eu tinha contigo antes que o mundo existisse" (Jo 17.5). "Estêvão, cheio do Espírito Santo, levantou os olhos para o céu e viu a glória de Deus, e Jesus em pé, à direita de Deus" (At 7.55).

"Não devia o Cristo sofrer estas coisas, para entrar na sua glória?" (Lc 24.26).

Consegue identificar o que houve na jornada do Cristo antes do estábulo e depois da cruz?

Glória.

A vida não é fácil. Não é limpinha, desinfetada, impecável. Viver traz consigo a certeza de, em muitos momentos, ter de enfrentar dor, tristeza, decepção, luto, doença, rejeição, mágoa — a sujeira e a dificuldade da caminhada. Todos passaremos por isso. Você pode estar passando por isso neste momento.

Mas existe uma diferença entre quem enfrenta a jornada da vida *com* Cristo ou *sem* Cristo. Para quem está na jornada *com* Cristo existe esta certeza: depois das muitas e dolorosas dificuldades, o que está à sua espera é... glória.

Glória eterna.

O sentido da vida

> Não viemos ao teatro deste mundo por outro motivo que seja senão o fato de compreender o admirável poder, a perfeição e a sabedoria do maravilhoso criador de todas as coisas, pois isso é possível à medida que contemplamos a forma do universo e todos os atos e obras de Deus.
>
> JEAN BODIN

Há alguns anos viajei com um grupo de casais amigos para Campos do Jordão, onde decidimos passar o Carnaval juntos. Os homens levaram consigo um jogo eletrônico de futebol que estava na moda e, pelo que logo vi, causava *frisson* no grupo. Todos os rapazes eram profundos conhecedores dos controles, das estratégias e dos macetes da disputa, enquanto eu, que não sou muito adepto dos *video games*, boiava completamente. Por isso, enquanto eles vibravam, gritavam e se divertiam jogando partidas de futebol na tela da televisão, eu tentava compreender, sem muito sucesso, como se jogava aquilo.

Claro que, como pessoas educadas que são, chegou um momento em que, apesar da minha relutância, meus colegas me ofereceram um dos *joysticks*, para que eu também participasse com eles. E, assim, me vi, completamente ignorante, controlando onze jogadores virtuais contra um amigo viciado naquele jogo, que parecia controlar mil jogadores ao mesmo tempo.

Foi um massacre vergonhoso.

Não me lembro exatamente qual foi o placar, mas deve ter sido algo como 22 a zero ou qualquer humilhação parecida. Pois, enquanto meu amigo sabia tudo o que era preciso saber para dominar a bola, eu, embora estivesse jogando, não sabia as normas que regiam o funcionamento do jogo. Tentava chutar a bola para a frente e ela saía pela lateral. Apertava o botão de defesa mas meu goleiro ficava parado. Virava o controle para a direita e meus jogadores iam para a esquerda. Tocava para meu atacante no meio de campo e fazia gol contra. Foi ridículo, acredite.

Saí do quarto em que eles estavam com a firme convicção de que, como jogador de futebol eletrônico, sou uma ameba. Eu estava jogando, mas minha ignorância sobre como o jogo funcionava prejudicou profundamente o meu desempenho.

Essa experiência me mostrou claramente que existe uma grande diferença entre participar de algo conhecendo as "regras do jogo" e desconhecendo-as por completo. E isso vale para qualquer coisa, de *video games* à vida.

Eu estou vivo. Você está vivo. Bilhões de pessoas no planeta empreendem neste exato instante essa jornada que chamamos de *vida*. Mas existe uma grande distância entre estar na jornada e conhecê-la. Será que sou capaz de responder a questões como: Por que estamos aqui? Há um sentido na vida? De onde viemos? Para onde vamos? As coisas simplesmente acontecem ou há alguém que as controla? Por que tudo é como é? Existe um motivo para cada coisa? Qual é o meu papel nisso tudo? Eu faço alguma diferença no mundo? Há um plano para minha vida ou sou obra do acaso e da sorte?

É verdade que você conseguirá viver normalmente até o fim da jornada mesmo que jamais consiga responder a essas perguntas. Sim, é possível. Acontece, e muito. Pessoas simplesmente vivem, como andarilhos que perambulam sem rumo por estradas sem saber exatamente onde vão dar. Mas saber as respostas, e as respostas corretas, faz toda a diferença. É fascinante descobrir as explicações daquilo que faz a existência ser como ela é. Mais do que isso: conhecer as razões por trás de cada coisa dá sentido à vida. Mas, para encontrar as respostas certas, é preciso saber procurar nos lugares certos.

Ou, quem sabe, perguntar para as pessoas certas.

E quem melhor para explicar a razão e o funcionamento de tudo do que aquele que inventou e criou tudo?

Quer entender a vida? Pergunte ao autor da vida. Quem é ele? O apóstolo Pedro respondeu isso em uma conversa que teve com os israelitas: "Vocês mataram o autor da vida, mas Deus o ressuscitou dos mortos" (At 3.15).

Jesus. O autor da vida. O "resplendor da glória de Deus e a expressão exata do seu ser" (Hb 1.3). Sobre Jesus, o Criador, João, o apóstolo, escreveu: "No princípio era aquele que é a Palavra. Ele estava com Deus, e era Deus. Ele estava com Deus no princípio. Todas as coisas foram feitas por intermédio dele; sem ele, nada do que existe teria sido feito" (Jo 1.1-3). Ele fez tudo. Ele criou a vida. Ele criou a *sua* vida. Ele sabe tudo sobre ela.

Quer entender a sua jornada, conhecer as regras do jogo, saber tudo aquilo de que precisa para viver com propósito, motivação e destino corretos? Vá a Jesus, a divindade em forma humana. "Pois dele, por ele e para ele são todas as coisas. A ele seja a glória para sempre!" (Rm 11.36).

Muito prazer, eu sou Deus

> Existem dois livros dos quais deduzo a existência de meu Deus. Além daquele livro da palavra de Deus, há um outro de sua serva, a natureza, esse manuscrito universal e conhecido por todos, que se encontra estendido diante dos olhos de todos nós. Aqueles que jamais viram a Deus em um desses livros com certeza o encontraram no outro.
>
> *Sir* Thomas Browne

Para entender o sentido da jornada, é preciso conhecer o criador da jornada.

Deus.

Mas é possível chegar ao conhecimento desse Deus tão extraordinário, que não teve começo nem terá fim, que vive fora do tempo, o "totalmente outro", que é três e um, que habita em regiões celestiais e ao mesmo tempo dentro de cada um de seus filhos (Is 55.8-9)?

Sim, é possível.

Suponha que você queira me conhecer, mas não saiba nada sobre mim. Existem duas maneiras fundamentais para saber quem eu sou e o que penso. Vou chamá-las de *revelação específica* e de *revelação geral*.

A maneira mais eficiente de me conhecer é o que se chama de *revelação específica*, ou seja, escutar o que tenho a dizer, com toda honestidade, a meu respeito. Você viria até mim, apertaria a minha mão e ouviria em primeira mão tudo o que tenho a revelar sobre a minha pessoa.

A outra forma é observando o que eu faço, o que se chama *revelação geral*.

Se eu pintar um quadro, por exemplo, ao observá-lo você acabará obtendo informações sobre mim, sobre o que gosto, realizo e muito mais. Essa forma de me compreender e conhecer é infinitamente menos perfeita do que a outra, mas aponta para uma série de aspectos a meu respeito, dos quais o que quero destacar é este: se é possível ver o que fiz, fica claro que *eu existo*.

Com Deus também é assim. E você pode perceber sua existência pelos dois métodos.

Portanto, quando Deus decidiu apertar-nos a mão e falar sobre si mesmo, escolheu alguns homens que, inspirados pelo Espírito Santo, escreveram tudo o que a humanidade precisa saber durante a jornada da vida para conhecer o Criador dela. E para ter acesso ao resultado dessa apresentação direta, ou *revelação específica*, é só ver o que a Bíblia, sua Palavra, registra em seus livros.

Mas, como disse, Deus também se revela de modo indireto, pela *revelação geral*. Como? Basta observar a obra de suas mãos: o mundo e tudo que nos cerca. Confira as afirmações do salmista: "Os céus declaram a glória de Deus; o firmamento proclama a obra das suas mãos" (Sl 19.1), e do apóstolo Paulo: "Pois desde a criação do mundo os atributos invisíveis de Deus, seu eterno poder e sua natureza divina, têm sido vistos claramente, sendo compreendidos por meio das coisas criadas" (Rm 1.20).

Você quer ter um vislumbre do Criador da sua jornada? Olhe ao redor, para o mundo que o cerca. Contemple a magnífica obra das mãos dele: a natureza, os seres vivos, as leis naturais, a perfeição com que o universo se equilibra e funciona... Diante da beleza da criação, quem não seria capaz de perceber que há um Deus criador?

Mas, se o seu desejo é conhecê-lo em profundidade, falar com ele, invista na leitura e no estudo da Bíblia. Pois é ali, e somente ali, que você poderá apertar a mão do Pai celestial e ouvi-lo dizer:

— Muito prazer, filho amado...

Mantenha-se no rumo

> Toda a Bíblia é ditada pelo Espírito de Deus para, dessa maneira, [...] instruir e governar toda a igreja em ação, até os confins do mundo.
>
> JAMES VI, REI DA ESCÓCIA (KING JAMES)

Você já se perdeu? Eu já. Não é nada agradável.

Há alguns anos fui visitar meu irmão, que morava em um vilarejo rural da Espanha, próximo a grandes campos arados. O sol estava para se pôr, e decidi sair ao campo para passear. Entrei por uma trilha e, distraído, não me dei conta de que estava seguindo por um caminho ermo. Quando a noite chegou, veio a constatação: eu estava perdido. As horas seguintes foram difíceis. Atravessei campos arados, regiões áridas, trilhas confusas e colinas intermináveis. Cerca de duas horas depois, acabei dando em uma estrada, que me conduziu de volta à cidade. Quando finalmente cheguei à casa de meu preocupado irmão, só tive forças para desabar na cama e ficar arfando, pés para cima, a fim de recuperar o fôlego, a paz de espírito e um pouco da minha dignidade.

Tudo teria sido mais fácil se eu tivesse levado comigo uma bússola. Com ela, eu saberia que caminho seguir naquela minha pequena jornada. Na vida não é diferente. Às vezes também nos perdemos, e as consequências podem ser bem mais desagradáveis e sérias. Mas a boa notícia é que na jornada da vida também podemos levar uma bússola. Sim. Só que não um objeto com uma agulha magnética que indica o caminho. Para aqueles que optam por seguir a jornada *com* Cristo, a bússola que indica o caminho certo é um livro: a *Bíblia.* Como já vimos, foi por ela que Deus se revelou de forma específica; por isso, se queremos acertar o caminho, precisamos seguir fielmente a orientação das Escrituras.

Mas há um detalhe: seguir a orientação das Escrituras requer mais que simplesmente *ler* o texto bíblico. É preciso *compreendê-lo.* Perceba que não adianta nada ter uma bússola em mãos se você não sabe como ela funciona, para onde aponta a agulha, o que são as letras N, S, L, O. Tampouco adianta ler a Bíblia se você não conhecer e compreender suas regras. E, se você não segui-las, ou você a entenderá de forma errada ou não entenderá nada. Isso acontece porque a Bíblia tem particularidades históricas, isto é, cada texto dela é condicionado pela linguagem, a época e a cultura em que originalmente foi escrito.

Então, você vai precisar ler a Bíblia seguindo alguns princípios: conhecer o contexto em que o texto foi escrito, quem o escreveu e para quem e por que foi escrito, em que época e sua mensagem central, por exemplo. Se você não ler a Bíblia compreendendo cada contexto, vai entender muita coisa errada e distorcer o sentido original das Escrituras. Mas isso não é tão difícil quanto pode parecer. Deixe-me dar um exemplo.

Suponha que eu estivesse escrevendo um *e-mail* para cristãos do Rio de Janeiro, dizendo essencialmente isto: *prostituir-se é pecado.* Essa é a mensagem central, um princípio válido para pessoas de todas as épocas e de todos os lugares. Mas eu poderia escrever essa orientação da seguinte maneira: "Não fiquem parados na Avenida Atlântica, na praia de Copacabana, de madrugada, vestindo meia arrastão e rodando bolsinha, fazendo sinais para os carros que passam, pois isso é pecado". Para um carioca, essas informações são claríssimas, pois eles entendem imediatamente que essa descrição equivale à atitude de uma prostituta na praia de Copacabana. Portanto, para assimilar que *prostituir-se é pecado,* é essencial conhecer essa realidade local, fruto da cultura específica de nossa época.

Imagine agora que esse *e-mail* fosse lido daqui a dois ou três mil anos por alguém que mora na China e não faz a menor ideia de que prostitutas se comportam dessa maneira, hoje, no Rio. O que esse chinês poderia entender sobre o que escrevi, sem compreender o contexto em que minha mensagem foi redigida? 1) Que ficar parado na Avenida Atlântica de madrugada é pecado; 2) Que vestir meia arrastão é pecado; 3) Que rodar uma pequena bolsa é pecado; 4) Que fazer sinais para automóveis em movimento é pecado. Ou seja, a interpretação da minha intenção original teria sido completamente distorcida pela falta de entendimento do contexto. Percebe?

Esse é apenas um exemplo de como é importante buscar entender as regras de interpretação das Escrituras para assimilar seu conteúdo, sem distorções[1] e, assim, seguir com segurança até receber o grande prêmio.

Não se conforme em ler superficialmente a Bíblia. Se não entender algo, procure ajuda de quem tem mais conhecimento sobre as Escrituras, seja ele um sacerdote, seja um professor, seja um amigo. Leia livros que esclarecem o conteúdo e os contextos dos relatos bíblicos. Corra atrás, não se contente com pouco. Se você partir em busca de conhecimento, pode ter certeza de que isso lhe proporcionará muito, mas muito crescimento — em todas as áreas de sua vida.

Um novo companheiro na jornada

> Todos nós pecamos, visto que nos achamos saturados da corrupção natural, e por essa razão somos ímpios e perversos.
>
> João Calvino

No princípio, a vida do homem era pura poesia.

Beleza. Perfeição. Alegria. Felicidade. Saciedade. Plenitude. Paz. Intimidade. Infinitude. Convivência. Compartilhamento. Relacionamento. Amor.

De repente...

Pecado.

Pecado!

O pecado mudou tudo. A partir do momento em que achou brecha e invadiu o coração do homem, sua escuridão contaminou a alma humana com trevas, feiura, imperfeição, tristeza, infelicidade, vazio, depressão, solidão, egoísmo, rebeldia, traição, ódio, doença. Morte.

A jornada da vida deveria ter sido agradável desde o início e por toda a eternidade. Sem pedras no caminho, sem curvas, sem lombadas. Apenas uma viagem segura, calma e maravilhosa. Mas o pecado foi a tragédia que subverteu tudo, tornando a jornada perigosa. Esburacada, sinuosa, assustadora. E, como um machado que, de um só golpe, separa o ramo da árvore, o pecado nos separou de Deus (Jo 15.5); e, sem a seiva que flui do tronco, o ramo morre.

Hoje, todos colhemos os frutos da contaminação: Dor. Choro. Desânimo. Ansiedade. Medo. Luto. Morte. Sim, porque pecado é isso: morte. Morte física. Morte espiritual. Vida fora da vida. Sobrevida. O pecado nos fez mortos-vivos (Ef 2.1). É tudo que desafia a lei de Deus, tudo que a transgride.[2] Desobediência, isso é pecado. Rebeldia e orgulho, isso originou o pecado entre os anjos. Egocentrismo, isso levou o homem ao pecado. Pecar, portanto, é dizer *não* a Deus. É contrariar a vontade do Criador. É entristecer o bondoso coração do Pai. É o navio que dá as costas ao porto seguro para se aventurar em águas desconhecidas, rumo ao naufrágio certo.

O pecado mudou e muda totalmente a visão de mundo de cada homem e mulher, alienando-o não apenas de Deus, mas de seu semelhante, da natureza e de si mesmo. O resultado? Busca por poder e riquezas, sexualidade desenfreada, idolatria, vícios e muitos outros males que pretendem preencher o vazio do tamanho de Deus que ficou no peito do pecador. E por isso, sem conseguir sucesso em ocupar um espaço eterno com o que é fugaz, perdemos a paz.

Embora ansiemos por Deus, sentimos o impulso fortíssimo de virar-lhe o rosto a cada passo da jornada, pois nascemos com essa força maligna e destruidora no coração e a ela sucumbimos naturalmente. O pecado passou a ser um companheiro indesejável na jornada da vida, sentado no banco do carona e fazendo de tudo para nos levar à derrapagem e ao acidente. O pecado mete a mão no volante, quebra o espelho retrovisor, desliga o limpador de para-brisa no meio da tempestade, pisa no acelerador perto da curva. É um sabotador experiente e competente para nos conduzir direto ao precipício.

Apesar de toda a humanidade percorrer essa jornada dura, árdua e dolorosa, com esse incômodo companheiro, há uma boa notícia. A jornada da vida não precisa ser feita sob o jugo indesejável do pecado. Existe alguém que deseja assumir o volante, derrotar o sabotador e conduzir-nos, de modo seguro, até o destino correto. Ele prometeu estar *sempre* comigo e com você, até o fim dos tempos (Mt 28.20).

Cristo.

Mas como fazer para que ele assuma o controle de sua jornada? Abra seu coração para Jesus, deixe-o entrar em sua vida. Não se negue a que ele mostre os rumos que você deve seguir e as decisões que precisa tomar.

Ele está conosco, sim. Está com todo aquele que faz uma aliança com ele. E, ao fazer essa aliança, você deixa para trás a jornada com o pecado para iniciar a jornada com Cristo. E quem faz a jornada com Cristo já não está escravizado pelo pecado, mas recebe o maior antídoto que existe contra ele.

Graça.

Por graça

> Essa graça de Cristo, sem a qual nem as crianças nem os adultos podem ser salvos, não é concedida como recompensa por méritos próprios, mas é gratuitamente (*gratis*) concedida e, por esse motivo, é chamada graça (*gratia*).
>
> AGOSTINHO DE HIPONA

Quando minha filha chegou aos 2 anos, comecei a pôr em prática a técnica do Cantinho da Disciplina, que nada mais é do que uma forma elaborada do bom e tradicional castigo: se há uma desobediência e a filhota não obedece depois da primeira advertência, tem de ficar alguns minutos sentadinha numa cadeira, pensando sobre o que fez (um minuto para cada ano de vida da criança). Ao final, ela precisa pedir desculpas e o pai termina a disciplina dando muitos beijinhos e abraços, com afirmações de "eu te amo". Dá muito certo, recomendo. Houve um episódio, quando ela contava 3 anos, que me fez ir além do que está na cartilha.

Ela acordou com sono e ranzinza. Por isso, acabou me desobedecendo e, por sua insistência em não fazer a coisa certa, decidi que deveria pô-la no Cantinho da Disciplina. Naquele dia, ela se mostrava especialmente cabeça-dura e se recusou a ficar sentada no lugar designado, pensando. Era eu colocá-la na cadeira e ela repetidamente descia, se negando a ficar no local. Foi quando tive uma ideia.

— Filha, esta é a última vez que eu falo: você não vai ficar no castigo?

— Não — deu o ultimato, desafiadora.

— Então quem vai ficar em seu lugar sou eu.

Sob o olhar espantado dela, caminhei até a cadeira do castigo e me sentei. Expliquei:

— Você desobedeceu e deveria ficar em disciplina. Bem, alguém precisa ficar de castigo por causa da sua desobediência. Então eu vou ficar. E, como tenho 42 anos, vou ficar 42 minutos.

Sentei e me calei.

O efeito foi imediato e surpreendente. Ela ficou me olhando, estática, sem dizer uma palavra, por um longo tempo. Percebi que ficou muito confusa com minha atitude. *Como assim, o papai ficar no castigo em meu lugar?*, eu lia claramente nos seus olhos. Mas foi o que aconteceu. Ela caminhou devagarinho para fora do quarto. Não deu um minuto e ela voltou, se arrastando junto à parede. Chegou à porta e ficou espiando de canto de olho. Eu estava ali havia alguns minutos quando ela veio, apoiou as mãos na minha perna e falou, bem baixinho:

— Pa-paaaai?

— Sim, minha filha?

— Por que você vai ficar aí?

— Porque você desobedeceu e alguém tinha de ficar de castigo por isso. Então eu decidi que vou ficar no seu lugar.

— Você não quer vir brincar comigo?

— Filhinha, eu até queria sair, mas não posso. Tenho de cumprir o castigo em seu lugar até que esteja tudo consumado.

Ela pensou um pouco, tentando entender a lógica daquilo. Então se aproximou, deitou a cabeça no meu colo e ficou fazendo carinho na minha perna. Ficamos ali, em silêncio, até que os 42 minutos chegaram ao fim.

— Pronto, filhinha, papai já pode sair do *seu* castigo.

Ela abriu um largo sorriso. Abraçou-me e beijou-me e, para minha surpresa, disse o que eu costumo dizer a ela ao final de um momento de disciplina:

— Eu te amo, papai.

Aproveitei e lhe perguntei:

— Filha, você sabe o nome do que o papai fez, quando ficou no castigo em seu lugar?

Ela olhou, em silêncio, à espera da resposta.

— Aquilo se chama *graça*. Significa que eu fiz por você o que eu não precisava fazer e que você não merecia, mas por amor eu decidi pagar o preço da sua desobediência.

E sabe quem também fez isso? Jesus. — E comecei a explicar, num linguajar adequado para sua idade, o que Cristo fez na cruz pela humanidade transgressora.

Minha esposa e eu temos o hábito de, sempre que a pequena come o alimento todo nas refeições, celebrar cantando uma musiquinha que inventamos com o nome dela. Se ela come tudo, cantamos; se não come, não tem música. No dia seguinte ao da experiência de ter sofrido o castigo em lugar dela, na hora do almoço minha filha não comeu tudo. Ela pediu para cantarmos a musiquinha, mas eu neguei, porque ainda tinha ficado "papá" no prato. Foi quando ela fez uma carinha fofa e sincera e disse:

— Papai, e por graça? Por graça vocês cantam?

Eu sorri. Percebi que minha filha passou a compreender melhor um dos conceitos principais da fé cristã: a graça de Deus. Ela agora percebe que Jesus é alguém que fez de fato algo concreto por ela, num gesto de amor em que *ele* pagou o preço por algo de ruim que *ela* fez. E que nós recebemos as bênçãos do alto não necessariamente por retribuição a algo de bom que façamos, mas porque o coração de Deus é cheio dessa coisa chamada *graça*, que o levou a sofrer o castigo que não merecia, por amor a cada um de nós.

Por amor... a você.

Tire um momento para refletir

A jornada com Cristo nos conduz ao prêmio maior: a glória eterna, que será desfrutada ao lado de Deus.

Isso não significa que a jornada é fácil. Assim como para Jesus ela foi dura e pedregosa, para nós também é. Não devemos desanimar, mas permanecer fiéis e firmes até o fim, quando herdaremos a eternidade na glória do Criador.

Para percorrer bem a jornada, devemos compreender seu sentido, suas razões, sua finalidade, como proceder, enfim, a cada passo. E isso só é possível para quem conhece Jesus, em especial por meio de sua revelação específica, a Bíblia.

A Bíblia é a bússola que nos orienta na jornada e nos ensina a caminhar com Cristo. Precisamos aprender a usar essa "ferramenta", lendo-a e estudando-a de forma correta.

A própria Bíblia nos mostra que a maior tragédia que ocorre durante a jornada é o pecado, esse poder destruidor que tenta sabotar a cada instante nossa viagem rumo ao prêmio. Mas, felizmente, Deus nos presenteia com sua graça, que nos possibilita vencer o pecado e a morte por meio de...?

É o que veremos em seguida.

Tire um momento para orar

Deus, eu te agradeço pela possibilidade de um dia desfrutar da glória eterna ao teu lado. Dá-me forças e sustenta-me, para que eu consiga suportar as dificuldades da jornada. Ilumina-me a mente, a fim de que eu compreenda sem impedimentos e com clareza tudo o que revelaste a respeito das tuas verdades eternas na Bíblia Sagrada. Que quando eu vier a ler o texto das Escrituras o teu Espírito me abra o entendimento para que tudo o que eu assimilar faça sentido para mim e, assim, me conceda vida.

Acima de tudo, que ao ler de maneira correta e responsável a Bíblia eu chegue ao pleno conhecimento de Cristo e, desse modo, consiga vencer o pecado que habita em mim. Derrama tua graça em minha vida. Assim te peço. Amém.

Na direção correta

Tudo mudou

> Porque Deus tanto amou o mundo que deu o seu Filho Unigênito, para que todo o que nele crer não pereça, mas tenha a vida eterna. Pois Deus enviou o seu Filho ao mundo, não para condenar o mundo, mas para que este fosse salvo por meio dele.
>
> Jesus Cristo

A cronologia da história espiritual da humanidade após a entrada do pecado no coração humano pode ser resumida em uma sequência de poucas palavras: *Criação. Vida perfeita com Deus. Pecado. Separação de Deus. Morte física. Morte espiritual. Inferno.*

Tudo parecia perdido. Deus parecia ter sido derrotado. Satanás, a serpente rebelde do Éden, parecia ter vencido. Parecia que o homem estava condenado a passar toda a eternidade separado do Criador. Parecia que ninguém tinha mérito suficiente para restabelecer o vínculo entre Criador e criatura.

Parecia.

Mas, contra todas as aparências, algo aconteceu.

O pecado tinha tornado impossível qualquer homem ou mulher pagar o preço devido para ser salvo do inferno, pois "o salário do pecado é a morte" (Rm 6.23). Somente alguém sem pecado poderia oferecer-se à morte, derramar o próprio sangue e, assim, dar à humanidade a salvação do inferno para a vida eterna. Um preço impossível de ser pago. Tudo estava perdido. Mas... E se houvesse um homem sem pecado?

Foi quando o milagre da graça aconteceu.

O imensurável e extraordinário amor de Deus transbordou e, por tanto amar, o Criador assumiu a forma de homem, mas com um diferencial: sem pecado. "Jesus, o Filho de Deus [...] passou por todo tipo de tentação, porém, sem pecado" (Hb 4.14-15).

Sim! "Aquele que é a Palavra tornou-se carne e viveu entre nós" (Jo 1.14). Deus amou a humanidade condenada de tal maneira que entregou Jesus para pagar o preço do pecado. Ao derramar seu sangue por bilhões de pessoas que não mereciam ser salvas, Jesus exerceu a essência da graça. O inocente ofertou-se pelos culpados. O Cordeiro sem mancha nem culpa fez-se maldição em lugar dos malditos, para que pudessem ser vistos pelo Pai como dignos da vida eterna ao seu lado: não por mérito próprio, mas por mérito do sacrifício de Jesus.

> Ora, se o sangue de bodes e touros e as cinzas de uma novilha espalhadas sobre os que estão cerimonialmente impuros os santificam, de forma que se tornam exteriormente puros,

> quanto mais o sangue de Cristo, que pelo Espírito eterno se ofereceu de forma imaculada a Deus, purificará a nossa consciência de atos que levam à morte, para que sirvamos ao Deus vivo!
>
> Hebreus 9.13-14

O autor da vida fez-se humano sem deixar de ser divino e, assim, caminhou sobre a terra, pelas estradas de Israel, o único homem que já existiu que era digno de derramar seu sangue como preço aceitável para pagar a dívida da humanidade. E ele pagou. Foi quando ocorreu o evento máximo da história humana.

A cruz.

Cravos nas mãos e nos pés. Coroa de espinhos. Sangue escorrendo pela madeira e encharcando o solo do monte Calvário. Pois "é necessário que o Filho do homem seja levantado, para que todo o que nele crer tenha a vida eterna" (Jo 3.14-15). A vida se esvaiu. E, num último gemido, "Jesus disse: 'Está consumado!' Com isso, curvou a cabeça e entregou o espírito" (Jo 19.30). O justo foi sacrificado. O inocente pagou o preço. O sangue foi derramado. Cumpriu-se a justiça. Morto.

Mas... de que adiantava um Salvador morto? Pois, "conforme a Escritura, era necessário que Jesus ressuscitasse dos mortos" (Jo 20.9). E foi então que aconteceu.

Morte, inferno, pecado, preparem-se! Porque três dias depois...

Mulheres enlutadas vão ao sepulcro preparar o cadáver de seu Mestre. Chegam lá e, assombradas, encontram a sepultura vazia. Dois homens de roupas brilhantes rompem seu silêncio de espanto: "Por que vocês estão procurando entre os mortos aquele que vive? Ele não está aqui! Ressuscitou! Lembrem-se do que ele lhes disse, quando ainda estava com vocês na Galileia: 'É necessário que o Filho do homem seja entregue nas mãos de homens pecadores, seja crucificado e ressuscite no terceiro dia'" (Lc 24.5-7).

Parecia que a cronologia da história espiritual da humanidade seria resumida em uma sequência de poucas palavras: *Criação. Vida perfeita com Deus. Pecado. Separação de Deus. Morte física. Morte espiritual. Inferno.*

Parecia.

Mas, contra todas as aparências, algo aconteceu: Cristo se ofereceu para fazer parte da jornada da humanidade.

Com isso, tudo mudou. A sequência mudou radicalmente e tornou-se: *Criação. Vida perfeita com Deus. Pecado. Separação de Deus. Amor. Graça. Cruz.*

E, por fim, para quem tem Cristo na jornada... *salvação.*

A hora é esta

> Eu sou a ressurreição e a vida. Aquele que crê em mim, ainda que morra, viverá; e quem vive e crê em mim não morrerá eternamente. Você crê nisso?
>
> JESUS CRISTO

Milagre.

Nenhuma outra palavra explica melhor o que é a salvação do que *milagre.* Por definição, milagre é um "ato ou acontecimento fora do comum, inexplicável pelas leis naturais". Pela ordem natural das coisas, todo homem, distanciado de Deus durante a jornada da vida por causa do pecado, permaneceria longe dele após a morte. Assim, pelas leis espirituais, o normal é que todo aquele que comete pecados (ou seja, absolutamente todo mundo!) caminhe diretamente para o inferno. Mas, com a vinda de Cristo, sua morte na cruz e posterior ressurreição, teve início a era em que, por mérito exclusivo de Jesus, a humanidade passou a ter acesso à vida eterna.

A salvação é, justamente, esse ato divino de nos salvar da morte eterna no inferno para a vida eterna na presença de Deus. E, por contrariar a ordem natural das coisas, ela é um milagre.

Mas como ela ocorre na prática?

A primeira coisa que tem de acontecer para qualquer pessoa ser salva é a proclamação do evangelho. De algum modo (por meio de uma pregação, uma conversa ou da leitura das boas-novas de Cristo em algum texto), a mensagem da cruz chega até o pecador: "a fé vem por se ouvir a mensagem, e a mensagem é ouvida mediante a palavra de Cristo" (Rm 10.17).

Assim que a mensagem do evangelho chega ao coração do pecador, ocorre um chamado da parte do Espírito Santo, que, como o próprio Jesus explicou, é quem convence o mundo "do pecado, da justiça e do juízo" (Jo 16.8). Assim, o Espírito Santo toca sobrenaturalmente o pecador, para quem a mensagem que recebeu passa a fazer todo o sentido.

O resultado desse fenômeno é o nascimento, no coração da pessoa, da fé em Jesus como único e suficiente Salvador e Senhor de sua vida. A *fé salvífica. Fé para salvação.* "Pois vocês são salvos pela graça, por meio da fé." E não só não existe outro meio de salvação, como não há nada que alguém possa fazer para ser salvo. Nenhum esforço, nenhuma boa obra, nenhuma ação de caridade: "e isto não vem de vocês, é dom de Deus; não por obras, para que ninguém se glorie" (Ef 2.8-9).

Quando a pessoa é alcançada pela graça divina, tem uma profunda percepção de sua natureza pecadora, é levada a um autêntico arrependimento do estilo de vida transgressor que levava e é completamente perdoada.

Mas não confunda arrependimento com remorso. Remorso é o sentimento de tristeza oriundo da prática de uma ação incorreta, mas sem implicar, necessariamente, mudança de atitude. Arrependimento é também tristeza, mas com a consequente mudança de atitude. O apóstolo Paulo escreveu a um grupo de cristãos: "Agora, porém, me alegro, não porque vocês foram entristecidos, mas porque a tristeza os levou ao arrependimento" (2Co 7.9). Repare que o texto diferencia a simples tristeza da tristeza que leva ao arrependimento, desejada por Deus.

E você? Já tem Cristo na sua jornada? Se ainda não tem, mas sente vontade de recebê-lo como seu Salvador e Senhor, a hora é esta. Está sentindo um desejo ardente de receber Jesus em sua vida? Então é porque o Espírito Santo o está tocando e fazendo brotar em seu coração a fé salvífica. Se é o caso, abra-se para ele, arrependa-se de seus pecados e, a partir de agora, aja de acordo com a vontade de Cristo.

E bem-vindo à família dos que foram salvos para viver eternamente na glória de Deus.

Nada a dever

> A justiça de Deus é a justificação justa do injusto, sua maneira justa de declarar justo o injusto, através da qual ele demonstra sua justiça e, ao mesmo tempo, nos confere justiça. Ele o fez através de Cristo, o justo, que morreu pelos injustos.
>
> JOHN STOTT

Certo juiz ficou surpreso ao ver entrar no tribunal um de seus melhores amigos, que conhecia desde a infância, preso por ter cometido um crime. Ao vê-lo, o amigo réu abriu um largo sorriso, pois imaginou que a amizade entre eles faria o juiz declará-lo inocente e absolvê-lo das acusações, passando por cima da lei. Sabe como é, aquele famoso "jeitinho". Mas, como era justo e correto, o juiz analisou o caso com cuidado e, ao constatar a culpa de seu amigo, deu o veredito: o criminoso teria de pagar uma multa muito alta. Pronto, a justiça fora aplicada.

Os policiais conduziram o transgressor ao guichê em que ele teria de pagar a multa. Enquanto caminhava, aquele homem, condenado, balançava a cabeça e pensava como faria, pois o valor estava muito acima de suas posses. Mesmo que vendesse tudo o que tinha, não conseguiria pagar. E seu amigo, que o conhecia bem, sabia disso! Era simplesmente impossível quitar aquela dívida. Porém, ao chegar ao guichê, que surpresa: sabe quem tinha chegado antes dele e estava pagando o valor da multa do próprio bolso?

Seu amigo, o juiz.

Por ser justo, aquele juiz não poderia deixar de cumprir a justiça. Mas, por seu amor, sua graça e sua misericórdia, ele próprio decidiu pagar aquilo que seu amigo teria de pagar. O nome disso?

Justificação.

O ato da justificação é isto: o injusto sendo declarado justo, sem mérito algum. Na vida espiritual, vivemos uma situação semelhante.

O preço de nossa salvação foi estipulado: *sangue.*

A sentença foi proferida: *condenação eterna.*

Deus pagou o preço em nosso lugar: *cruz.*

Nós, pecadores, fomos declarados inocentes pelo preço pago por Cristo: *justificação.*

Ela ocorre no exato momento em que alguém recebe Jesus como Senhor e Salvador. É quando o pecador, alcançado pela graça, recebe a fé, que o leva ao arrependimento e ao reconhecimento de seus pecados: "O justo viverá pela fé" (Rm 1.17). É quando o juiz bate o martelo: *justo.* Cristo pagou a multa condenatória.

> [Pois] todos pecaram e estão destituídos da glória de Deus, sendo justificados gratuitamente por sua graça, por meio da redenção que há em Cristo Jesus. Deus o ofereceu como sacrifício para propiciação mediante a fé, pelo seu sangue, demonstrando a sua justiça. Em sua tolerância, havia deixado impunes os pecados anteriormente cometidos; mas, no presente, demonstrou a sua justiça, a fim de ser justo e justificador daquele que tem fé em Jesus.
>
> Romanos 3.23-26

A justificação é uma prova extraordinária do amor de Cristo demonstrado na cruz, pois o perdão puro e simples não implicaria anulação da dívida. Mais do que isso. A justificação demonstra que Jesus não anulou nossa dívida simplesmente, mas decidiu pagá-la em nosso lugar. Em outras palavras, Cristo nos *redimiu*. "Ele mesmo levou em seu corpo os nossos pecados sobre o madeiro, a fim de que morrêssemos para os pecados e vivêssemos para a justiça; por suas feridas vocês foram curados" (1Pe 2.24).

Por essa ação de Jesus, quando o Pai olha para nós, o que ele vê não são os nossos pecados, mas o sangue do Cristo redentor sobre nós, a sombra da cruz apagando nossas transgressões. Portanto, é por mérito de Jesus que voltamos a ter comunhão com Deus.

Muitas vezes, pessoas que foram salvas por Cristo ainda carregam um grande peso de culpa por pecados cometidos antes da conversão. É o seu caso? Você leva uma carga enorme porque acredita que nada do que possa fazer será capaz de apagar a maldade e a sujeira do passado?

Pois você tem toda a razão.

Não há nada que *você* possa fazer.

A questão é que sua justificação não tem a ver com os seus méritos. Não adianta pagar penitência, realizar obras de caridade ou se descabelar, pois pela força do seu braço você jamais alcançaria a justiça diante dos olhos de Deus. O que você precisa saber é que, ao receber Jesus como Salvador e Senhor, o que passa a valer na sua vida é o que *ele* fez na cruz, e não o que *você* fez na vida.

Cristo subiu à cruz.

Sua penalidade foi paga.

E eis o veredito para você: *justo*. Seus pecados estão perdoados. Sua dívida com Deus está paga. E você pode começar sua jornada com Cristo sem nenhum peso de bagagem para carregar.

Dê o primeiro passo, com o coração leve e a consciência tranquila. Já não há nenhuma dívida. Siga em paz.

Um novo começo

> A regeneração é o ato de Deus pelo qual o princípio da nova vida é implantado no homem, e a disposição dominante da alma é tornada santa.
>
> LOUIS BERKHOF

Assisti a um documentário bastante interessante sobre pessoas que passaram por situações bem próximas à morte: gente que sobreviveu a queda de avião, afogamento, acidente de carro, tiro de revólver e outros. Algo me chamou a atenção: praticamente todos os sobreviventes dessas situações disseram, ao relembrar a experiência, que tinham "nascido de novo". Interessante essa escolha de palavras, não é? Todos escolheram exatamente essa expressão porque estiveram com um pé na morte e, mesmo assim, conseguiram prosseguir pelo caminho da vida.

O mesmo ocorre com quem inicia uma jornada com Cristo.

Quando uma pessoa é salva pela fé em Jesus, ela passa pelo fenômeno conhecido como *novo nascimento*, ou *regeneração*. Como Jesus disse: "Digo-lhe a verdade: Ninguém pode ver o Reino de Deus, se não *nascer de novo*" (Jo 3.3).

Assim como os sobreviventes de experiências mortais, que escaparam da morte física para ganhar novamente a vida, quem passa pela regeneração espiritual também escapa dos braços da morte — não da morte física, mas da espiritual — para ganhar a vida eterna. Como o apóstolo Paulo explicou: "[Deus] deu-nos vida com Cristo, quando ainda estávamos mortos em transgressões — pela graça vocês são salvos" (Ef 2.5).

Quem está na jornada com Cristo é nova criação (2Co 5.17), isto é, uma nova criatura. Seus valores mudam, assim como as metas, o caráter, a estrutura moral e ética. Quem roubava não rouba mais, quem matava não mata mais, o arrogante torna-se humilde, o detestável torna-se amável, a lagarta torna-se borboleta: acaba a era de rastejar, começa a era de voar. Quem foi salvo por Jesus nunca será o mesmo.

A regeneração é, portanto, a obra instantânea e sobrenatural de Deus, que concede uma vida nova ao pecador que recebe Cristo como Salvador. Não depende de seres humanos, mas é uma iniciativa de Deus, que resgata o salvo da morte para a vida espiritual, tal qual um parteiro que, com um movimento instantâneo, retira um bebê da barriga de sua mãe. Assim, o salvo ressuscita da morte do pecado para a vida na justiça de Cristo.

> Mas quando, da parte de Deus, nosso Salvador, se manifestaram a bondade e o amor pelos homens, não por causa de atos de justiça por nós praticados, mas devido à sua misericórdia, ele nos salvou pelo lavar regenerador e renovador do Espírito Santo, que ele derramou sobre nós generosamente,

por meio de Jesus Cristo, nosso Salvador. Ele o fez a fim de que, justificados por sua graça, nos tornemos seus herdeiros, tendo a esperança da vida eterna.

Tito 3.4-7

Esse lavar regenerador provoca uma revolução na vida do salvo.

A depravação é revertida.

A ética e a moral são renovadas.

Os passos da jornada passam a ser guiados pelo Espírito Santo.

No futuro, é garantida a ressurreição.

A regeneração é uma obra completa e o começo de uma vida contínua de luta pela santidade.

Seu passado o incomoda? Tem a sensação de que fez tudo errado e, se pudesse, passaria a borracha e começaria tudo de novo, de forma diferente? Pois saiba que, se você está na jornada com Cristo, tem a chance de começar do zero, pois nasceu de novo, é nova criatura e o passado... passou.

Se isso soa estranho ou impossível, lembre-se de que a regeneração faz parte da salvação, que é um milagre. E milagres, por definição, contrariam a lógica e subvertem a razão. Sim, Cristo nos dá uma nova natureza e uma nova vida, como ele mesmo garantiu: "Eu lhes asseguro: Quem ouve a minha palavra e crê naquele que me enviou, tem a vida eterna e não será condenado, mas já passou da morte para a vida" (Jo 5.24).

Por isso a jornada que se inicia com Cristo é muito mais que uma filosofia. Ela é a possibilidade de viver uma nova e gloriosa vida, desde agora até a eternidade.

Brilho no olhar

> Vejam como é grande o amor que o Pai nos concedeu: sermos chamados filhos de Deus, o que de fato somos!
>
> JOÃO, APÓSTOLO DE CRISTO

Você já viu o brilho no olhar de um órfão quando descobre que foi adotado?

É emocionante. É belo. É extraordinário!

De repente, uma pessoa sem amor, perspectiva ou referenciais ganha pais, uma família, um sobrenome, novos rumos, alegria, a felicidade de saber que alguém olhou para ela, a amou e disse:

— É você! Eu o escolho como meu filho!

Por tudo o que está envolvido na adoção, acredito tratar-se de uma das atitudes mais maravilhosas que alguém pode ter. Pense bem: estamos falando de uma pessoa sem nenhuma obrigação de arcar com a responsabilidade sobre a vida de outra que não gerou em carne, mas no coração, e que decide escolhê-la e assim dedicar-lhe tempo, esforço, dinheiro, cuidado, amor. Voluntariamente. Admiro demais quem adota um filho.

Alguém como Deus.

Jesus, lembremos, foi filho adotivo. Gerado no ventre de Maria por um ato milagroso do Espírito Santo, foi adotado por José, que o amou, dedicou-se a sua criação, ensinou-lhe um ofício, preocupou-se com ele. E, assim como o Pai celestial designou um pai adotivo para cuidar de Jesus, ele mesmo desempenha o papel de Pai adotivo, pois adota como filho todo aquele que recebe Jesus como Senhor e Salvador: "aos que o receberam, aos que creram em seu nome, deu-lhes o direito de se tornarem filhos de Deus, os quais não nasceram por descendência natural, nem pela vontade da carne nem pela vontade de algum homem, mas nasceram de Deus" (Jo 1.12-13).

Ao salvo por Cristo, Deus concede o direito de se tornar...

... *filho de Deus.* "Mas, quando chegou a plenitude do tempo, Deus enviou seu Filho, nascido de mulher, nascido debaixo da Lei, a fim de redimir os que estavam sob a Lei, para que recebêssemos a adoção de filhos" (Gl 4.4-5).

... *irmão de Jesus.* "Ora, tanto o que santifica quanto os que são santificados provêm de um só. Por isso Jesus não se envergonha de chamá-los irmãos" (Hb 2.11).

... *herdeiro das riquezas da glória divina.* "Se somos filhos, então somos herdeiros; herdeiros de Deus e co-herdeiros com Cristo, se de fato participamos dos seus sofrimentos, para que também participemos da sua glória" (Rm 8.17).

Se você recebe Cristo como seu Senhor e Salvador, ganha o privilégio de ser membro da família de Deus e herdeiro do Senhor. Deixamos de ser apenas criaturas para nos tornarmos filhos. "Todos vocês são filhos de Deus mediante a fé em Cristo Jesus" (Gl 3.26).

Assim, estar na jornada com Cristo significa caminhar com um membro da própria família, que cuida de você como um irmão amado que é, filhos do mesmo Pai. E, em contrapartida, como filhos adotados pelo Senhor, passamos a desejar fazer a vontade do Pai, não por medo de punição, mas por amor filial. Vivemos uma realidade totalmente nova e bela. Como explica o teólogo J. I. Packer, intimidade, afeição e generosidade são os pontos altos do novo relacionamento familiar que Deus estabelece conosco ao nos adotar como filhos.

A adoção lhe garante, ainda, acesso direto ao seu novo Pai, que passa a ouvir suas orações com ouvido paterno. Portanto, em seus momentos de solidão e desamparo, lembre-se sempre de que esse Pai bondoso jamais abandona seus filhos ou se esquece deles. Além disso, como novo membro de uma grande família de fé, você passa a ter irmãos e irmãs a quem recorrer. E, se as aflições da vida forem muitas e parecer que não temos futuro, lembre-se sempre de que, ao ser adotado por meio da salvação, você tornou-se herdeiro de um novo reino, um estado eterno em que "o próprio Deus estará com eles e será o seu Deus. Ele enxugará dos seus olhos toda lágrima. Não haverá mais morte, nem tristeza, nem choro, nem dor, pois a antiga ordem já passou" (Ap 21.3-4).

Você recebeu Jesus como seu Senhor e Salvador? Então tenha paz, pois não está sozinho nem é um órfão sem sobrenome: por meio da adoção, você foi feito filho do Criador de todas as coisas, membro da família de Cristo, herdeiro da glória celestial e participante de um reino celestial onde viverá sem sofrimento por toda a eternidade.

Você já viu o brilho no olhar de um órfão quando descobre que foi adotado? Não? Então observe alguém que acabou de receber Cristo na jornada, e você verá o olhar mais luminoso do mundo.

Esforce-se e boa jornada!

> Fomos criados à imagem de Deus; mas, por causa da queda, essa imagem foi distorcida pelo pecado. A santificação tem como alvo a renovação do homem à imagem de Deus.
>
> FRANKLIN FERREIRA

Você gosta de subir escadas?

Tirando raras exceções, a maioria das pessoas não é muito fã de escalar dezenas de degraus para chegar aonde deseja. Tanto é assim que, logo que a tecnologia permitiu, a humanidade passou a instalar elevadores em edifícios, escadas rolantes em *shopping centers*, rampas em locais mais elevados. E a explicação para isso é bastante simples: subir escadas demanda esforço. Cansa. É uma tarefa que exige disciplina, persistência e uma boa dose de motivação.

Mesmo assim, por milênios a humanidade construiu escadas e, ainda hoje, usamos escadas em todo tipo de construção. Casas. Vielas. Palácios. Pirâmides. A Torre Eiffel. A Estátua da Liberdade. O Cristo Redentor. As catacumbas de Roma. Degraus. E mais degraus.

Não parece um contrassenso? Ninguém gosta de subir escadas, mas, ainda assim, sempre subiu e ainda hoje continua subindo. Por quê? Qual é a explicação para essa perseverança em fazer algo de que não se gosta, que exige tanto esforço?

Simples: *a importância de chegar ao topo compensa todo o esforço.*

A jornada com Cristo não é feita em um terreno reto e plano. A estrada da vida cristã é, na verdade, uma escadaria cujo último degrau coincide com nosso último suspiro. E o processo de subir esses degraus tem nome.

Santificação.

Santificação é o que o Espírito Santo opera em nós, gratuita e continuamente, a fim de libertar-nos da corrupção do pecado, renovando nossa natureza à imagem de Deus e capacitando-nos a praticar boas obras.[3] Embora ainda persistam na pessoa salva restos da corrupção, ela se tornou habitação do Espírito Santo e ganhou um coração que deseja alcançar a perfeição. Desse conflito entre os resquícios da natureza decaída e a nova natureza regenerada, surge uma guerra constante do espírito contra a carne. É por isso que a vida de quem iniciou a jornada com Cristo é árdua, pois ele almeja as coisas celestiais, mas ainda habita um corpo sujeito ao pecado. E, nesse processo, é necessário esforço contínuo, empenho, persistência, disciplina e uma boa dose de motivação. É uma vida vivida escada acima.

A santificação é, portanto, um processo de crescimento e amadurecimento espiritual, com o objetivo de nos tornar semelhantes a Cristo. "Pois aqueles que de antemão conheceu, também os predestinou para serem conformes à imagem de seu Filho" (Rm 8.29). Por ter sido liberto de sua velha natureza na regeneração, todo aquele que está na jornada com Cristo pode ser chamado de santo, que significa que foi separado do pecado e do mundo por Deus e para Deus. Em outras palavras, foi santificado.

É importante ressaltar que a salvação não torna ninguém perfeito. Quem está na jornada com Cristo vive em um esforço contínuo de fazer a vontade de Deus e de resistir ao pecado. Quando Jesus disse "sejam perfeitos como perfeito é o Pai celestial de vocês" (Mt 5.48), ele sabia que estava nos passando uma tarefa impossível. Ainda assim, estabeleceu esse objetivo elevado para que seus companheiros de jornada tivessem motivação suficiente para se esforçar ao máximo e, sem nunca desistir, continuassem subindo os degraus rumo a uma perfeição inatingível nesta vida.

Você está na jornada com Cristo mas vive tropeçando, caindo e, por vezes, se esborrachando em sua santidade? Não desista. Os degraus da escadaria da santificação são árduos, mas são os únicos que fazem o salvo caminhar ao lado do Salvador. Não duvide de sua fé. Não pense que sua salvação foi um engodo porque, vira e mexe, comete pecados. Embora o pecado seja indesejável, enfrentá-lo a todo instante faz parte da jornada. Lembre-se das palavras do apóstolo João: "Meus filhinhos, escrevo-lhes estas coisas para que vocês não pequem. Se, porém, alguém pecar, temos um intercessor junto ao Pai, Jesus Cristo, o Justo" (1Jo 2.1).

O que demonstra sua salvação não é uma perfeição divina. Afinal, você é humano, não é Deus. Mas, como filho adotado por Deus e que o ama, você fará de tudo para agradá-lo e se esforçará por obedecer-lhe. Jesus mesmo explicou: "Se alguém me ama, obedecerá à minha palavra. Meu Pai o amará, nós viremos a ele e faremos morada nele" (Jo 14.23).

Você ama a Cristo? Então esforce-se por fazer sua vontade, fuja do pecado e... boa jornada!

Perdão total

> O SENHOR é compassivo e misericordioso, mui paciente e cheio de amor. Não acusa sem cessar nem fica ressentido para sempre; não nos trata conforme os nossos pecados nem nos retribui conforme as nossas iniquidades.
>
> DAVI, REI DE ISRAEL

Quando meu livro *Perdão total: um livro para quem não se perdoa e para quem não consegue perdoar* foi lançado, comecei a ser convidado para fazer palestras ou pregar sobre o tema em igrejas presbiterianas, episcopais, batistas, pentecostais, anglicanas, independentes e outras. Nessas ocasiões, tive a oportunidade de participar de sessões de perguntas e respostas ou de conversar com homens e mulheres sobre sua experiência de vida.

Graças a esse contato, ficou claro que existe um aspecto em comum a milhares e milhares de pessoas, independentemente de sua linha doutrinária, sexo, idade, classe social ou nível de escolaridade: elas não compreendem plenamente o perdão bíblico e, por isso, não vivem o perdão plenamente. Resultado? Carregam fardos enormes de culpa ou de ressentimento. Às vezes, por anos e anos. Frequentemente, por toda a vida.

Ouvi depoimentos de rasgar o coração. Vi brotarem muitas lágrimas. Mas, depois de conversarmos apoiados nos ensinos bíblicos, tive o privilégio de testemunhar uma enorme quantidade de pessoas ser liberta de seus fardos por, finalmente, compreender como se processa o perdão de Cristo — e, assim, vivê-lo.

Estou arrependido mas não me sinto perdoado, e agora? Será que tem perdão para mim? Perdoar é esquecer? Tenho de voltar a conviver com quem me fez mal após o perdão? Sei que tenho de perdoar mas não consigo, como resolver isso? Eu me arrependi mas voltei a cometer o mesmo pecado, será que serei perdoado de novo?

Perguntas como essas são extremamente comuns e adoecem o coração de milhares de pessoas. A resposta para todas elas remete à mesma realidade: a jornada com Cristo só é viável se existe a manifestação constante de arrependimento e perdão. Perdoar e ser perdoado é o que possibilita a jornada, pois o perdão remove obstáculos do caminho. Ressentimento e culpa são precipícios no meio da trajetória. Como vimos, a pessoa salva sofre quedas frequentes no processo de santificação, frutos de sua natureza pecaminosa. O perdão de Deus é a resposta que nos permite prosseguir na jornada ombro a ombro com Jesus e de cabeça erguida.

> Está arrependido? Confessou seu pecado a Deus? Pediu perdão e se dispõe a não cometer a transgressão novamente? Então tenha uma certeza: seu pecado foi perdoado. [...] Releia com atenção o versículo-chave sobre o assunto: "Quem esconde os seus pecados não prospera, mas quem os confessa e os abandona encontra misericórdia" (Pv 28.13). Isso foi feito? Então agora é hora de sacudir a poeira e prosseguir. [...]. Adore. Pregue. Ensine. Exorte. Edifique. Console. Ajude. Socorra. Ame. Tudo para a glória daquele que está conosco todos os dias, até o fim do mundo. E, depois, por toda a eternidade, graças ao perdão que nos concedeu ao dar sua vida numa cruz ensanguentada dois mil anos atrás.[4]

A essência do perdão consiste no fato de que Jesus nos amou e perdoou e, por isso, como pessoas que estão sendo conformadas à imagem de Cristo, devemos reproduzir suas atitudes. "Nós amamos porque ele nos amou primeiro" (1Jo 4.19).

Pecou, mas se arrependeu e deixou de fazer o que estava errado? Então, esquecendo-se das coisas que ficaram para trás e avançando para as que estão adiante, prossiga para o alvo, a fim de ganhar o prêmio do chamado celestial de Deus em Cristo Jesus (Fp 3.13-14).

Sintomas da salvação

> Pois vocês são salvos pela graça, por meio da fé, e isto não vem de vocês, é dom de Deus; não por obras, para que ninguém se glorie. Porque somos criação de Deus realizada em Cristo Jesus para fazermos boas obras, as quais Deus preparou antes para nós as praticarmos.
>
> PAULO DE TARSO

O paciente chega ao consultório e diz ao médico:

— Doutor, estou muito gripado.

Imediatamente, o médico começa a examiná-lo, em busca dos sintomas que se manifestarão em qualquer gripe. Por isso, pergunta:

— Você está com febre, calafrios, dor de cabeça, tosse seca, espirros, dor de garganta ou nariz escorrendo, cansaço, dores musculares, diarreia, náusea, vômitos, perda de apetite ou dificuldade de adormecer?

— Não.

Diante dessa resposta, o que você acha que o espantado médico diria? O óbvio:

— Mas, se você não apresenta nenhum sintoma de gripe, como pode afirmar que está gripado?

Se você fosse o médico, daria o diagnóstico de gripe a esse homem só porque o suposto doente acredita que está gripado, mesmo sem nenhum sintoma?

Naturalmente que não.

Em geral, é mais ou menos assim que Deus examina quem se diz cristão, quando este age de modo semelhante. Se, diante dele, afirmamos ter fé para obter a salvação, creio que ele poderia perguntar algo como:

— Você demonstra humildade, chora com os que choram, devolve o mal com o bem, ama a justiça, demonstra misericórdia, busca a santidade, é pacificador, manifesta o fruto do Espírito, honra seus pais, me ama acima de todas as coisas e ao próximo como a si mesmo, busca em primeiro lugar meu reino e sua justiça?

— Não.

Se você fosse Deus, o que concluiria diante dessa falta de obras resultantes da fé em Cristo? O óbvio:

— Mas, se você não apresenta nenhum dos "sintomas" da salvação, como pode afirmar que está salvo?

A Bíblia é clara: "Mostre-me a sua fé sem obras, e eu lhe mostrarei a minha fé *pelas* obras" (Tg 2.18). Quais são as evidências visíveis de que uma pessoa foi salva por Cristo? *Ela pratica as boas obras especificadas na Palavra de Deus.*

É importante que tenha consciência de que não são as boas ações que salvam alguém, mas, sim, a fé em Jesus

Cristo. A Bíblia é clara ao afirmar que as boas obras não são a *causa* da salvação, mas a sua *consequência.*

Portanto, a pessoa não é salva por praticar boas obras. Ela pratica boas obras *porque* foi salva.

Alguém poderia argumentar que muitas pessoas que não creem em Cristo e até mesmo ateus praticam boas obras, são caridosas e fazem o bem. Isso é verdade, mas o que os diferencia é a *motivação.* Muitos agem corretamente por serem pessoas de caráter, bondosas e educadas ou porque sua religião diz que devem fazê-lo. No entanto, do ponto de vista bíblico, caráter, bondade, educação ou religião não constituem garantia de vida eterna, nem conduzem a pessoa a uma relação íntima com o Pai celestial.

Só Cristo faz isso.

Você foi salvo pela fé em Jesus como Salvador de sua vida? Pratique boas obras.

Você pratica boas obras, mas não tem fé em Jesus como Salvador de sua vida? Então recomendo que repense seriamente a sua jornada. Pois uma estrada transbordante de boas obras, porém sem Cristo, não leva a lugar algum: "Deus nos deu a vida eterna, e essa vida está em seu Filho. Quem tem o Filho, tem a vida; quem não tem o Filho de Deus, não tem a vida" (1Jo 5.11-12). Jesus mesmo disse: "Em verdade, em verdade vos digo: quem crê em mim tem a vida eterna" (Jo 6.47, RA). "Eu sou a ressurreição e a vida. Aquele que crê em mim, ainda que morra, viverá" (Jo 11.25).

Peço a Deus que a sua jornada seja repleta de boas obras. E que seja ainda mais repleta de Jesus Cristo, o Salvador.

Tire um momento para refletir

Deus preparou um plano para que a humanidade condenada pelo pecado pudesse voltar a ter uma relação direta e íntima com ele: enviou Jesus para morrer pelos nossos pecados e ressuscitar. Com isso, ele promoveu em nós o milagre da salvação.

Essa salvação nos torna justos aos olhos divinos, nos faz nascer de novo, nos converte para longe do pecado e em direção a Cristo, nos faz filhos de Deus e herdeiros dos benefícios do reino. Tudo isso ocorre instantaneamente, no preciso momento em que recebemos Cristo pela fé.

Em seguida, começa o processo de santificação, em que buscamos satisfazer a vontade de Deus pela prática das boas obras resultantes da fé. Como os ecos do pecado ressoam em nossa alma, continuamos a pecar, mas, mediante arrependimento, confissão e abandono da transgressão, recebemos o perdão total.

Assim, começamos a conhecer cada vez mais as pessoas de...?

É o que veremos em seguida.

Tire um momento para orar

Deus, eu te agradeço por teres enviado Jesus para morrer em meu lugar, possibilitando que eu viva o milagre da salvação. Meu coração se alegra por saber que, mediante a fé em Cristo como meu Senhor e Salvador, sou feito justo, sou regenerado e convertido, e ganho o direito de ser adotado como teu filho, irmão de Cristo e herdeiro da eternidade. Que maravilha é poder fazer parte de tua família!

Sei que, mesmo alcançado pela tua graça, sinto inclinação para o pecado. Fortalece-me para que eu não caia em tentação e livra-me do mal. Ajuda-me a manter-me distante daquilo que não te agrada. Se, no entanto, eu pecar, perdoa-me e restaura-me para a prática de toda boa obra. Assim te peço. Amém.

Siga em frente, sem desanimar

Você nunca está só

> Pedro, Tiago e João são os nomes de três pessoas distintas, embora elas compartilhem de uma mesma humanidade. [...] Logo, de que forma comprometemos nossa fé ao dizer, por um lado, que o Pai, o Filho e o Espírito Santo possuem uma só divindade, enquanto, por outro lado, negamos estar falando de três deuses?
>
> Gregório de Nissa

Deus. Que ser extraordinário!

Seria loucura que nós, seres criados, limitados, mortais, aprisionados no tempo e no espaço, tentássemos compreender plenamente esse ser tão absurdamente superior, que habita fora do tempo, que é amor infinito e também fogo consumidor, cujos pensamentos são muito mais elevados que os nossos. Achar que somos capazes de explicá-lo de forma plena seria muita petulância. Não, simplesmente não dá.

Não bastasse a indescritível limitação intelectual de que sofremos para conseguir compreender totalmente esse ser, ele quis manter encobertas ao nosso entendimento muitas das realidades da existência: "As coisas encobertas pertencem ao Senhor, o nosso Deus, mas as reveladas pertencem a nós e aos nossos filhos para sempre" (Dt 29.29). O Todo-poderoso é misterioso e insondável, como bem assinalou o apóstolo Paulo: "Ó profundidade da riqueza da sabedoria e do conhecimento de Deus! Quão insondáveis são os seus juízos e inescrutáveis os seus caminhos! 'Quem conheceu a mente do Senhor?'" (Rm 11.33-34).

Dentre todos os mistérios do Criador, um deles é, talvez, o mais impressionante: a *Trindade*. Essa palavra quer dizer que ele é um só Deus, mas três pessoas diferentes. Impossível? Talvez esquisito ou incompreensível para seres humanos limitados como nós, mas... impossível? Jamais! Pois "nada é impossível para Deus" (Lc 1.37).

Não há dúvida nem dificuldade de compreender que Deus é um: "há um só Senhor, uma só fé, um só batismo, um só Deus e Pai de todos" (Ef 4.5-6). Mas... três? Sim, três pessoas — onipotentes, onipresentes, oniscientes, criadoras, eternas, santas, santificadoras, fontes da vida, ressuscitadoras, salvadoras.

Jesus deixou claro que há distinção entre as três pessoas da Trindade: "vão e façam discípulos de todas as nações, batizando-os em nome do Pai e do Filho e do Espírito Santo" (Mt 28.19). Paulo também se referiu à Trindade ao escrever: "A graça do Senhor Jesus Cristo, o amor de Deus e a comunhão do Espírito Santo sejam com todos vocês" (2Co 13.14).

Na criação do homem, Deus usa o verbo e os pronomes no plural: "*Façamos* o homem à *nossa* imagem, conforme a *nossa* semelhança" (Gn 1.26), o que mostra uma ação coletiva. Depois que Adão e Eva cometem o primeiro pecado, novamente Deus usa o plural: "Agora o homem se tornou como um de *nós*, conhecendo o bem e o mal" (Gn 3.22). No episódio da Torre de Babel, uma vez mais o Criador aponta para a Trindade: "O SENHOR desceu para ver a cidade e a torre que os homens estavam construindo. E disse [...] *Venham, desçamos* e *confundamos* a língua que falam, para que não entendam mais uns aos outros" (Gn 11.5-7).

No batismo de Cristo, as três pessoas da Trindade se apresentaram: "Assim que *Jesus* foi batizado, saiu da água. Naquele momento o céu se abriu, e ele viu o *Espírito de Deus* descendo como pomba e pousando sobre ele. Então uma *voz dos céus* disse: 'Este é o meu Filho amado, de quem me agrado'" (Mt 3.16-17). O apóstolo Pedro também ressaltou a coletividade divina: "escolhidos de acordo com o pré-conhecimento de *Deus Pai*, pela obra santificadora do *Espírito*, para a obediência a *Jesus Cristo* e a aspersão do seu sangue" (1Pe 1.2).

Ainda Judas frisou essa realidade: "Edifiquem-se, porém, amados, na santíssima fé que vocês têm, orando no *Espírito Santo*. Mantenham-se no amor de *Deus*, enquanto esperam que a misericórdia de nosso Senhor *Jesus Cristo* os leve para a vida eterna" (Jd 20-21).

A Bíblia mostra, ainda, episódios em que o Pai, o Filho e o Espírito Santo são chamados de "Deus". O Pai afirmou: "Eu sou o SENHOR, o teu Deus, que te tirou do Egito, da terra da escravidão" (Êx 20.2). Sobre Jesus, disse-lhe Tomé: "Senhor meu e Deus meu!" (Jo 20.28). E sobre o Espírito Santo, falou Pedro: "Ananias, como você permitiu que Satanás enchesse o seu coração, a ponto de você mentir ao Espírito Santo e guardar para si uma parte do dinheiro que recebeu pela propriedade? [...] Você não mentiu aos homens, mas sim a Deus" (At 5.3-4).

Sim, não resta dúvida: a Trindade é uma realidade. Um Deus, três pessoas. Por isso, lembre-se sempre de que, se você está na jornada com Cristo, jamais estará só. Jamais! Pois, caminhando a todo instante com você estão o Pai de amor, o Filho Salvador e o Espírito Santo consolador.

Duvide das suas dúvidas

> Tão verdadeiramente tu existes, ó Senhor e Deus meu, que é impossível conceber tua inexistência, e isso por um bom motivo: pois se a mente humana pudesse conceber algo que fosse maior do que Deus, a criatura se poria acima do Criador e o julgaria, uma hipótese que, evidentemente, é absurda.
>
> ANSELMO DE CANTUÁRIA

Se durante séculos foi raro encontrar alguém que questionasse a existência de Deus, hoje virou moda. Nos últimos trezentos anos, em especial, o mundo tirou Deus do trono e colocou em seu lugar a razão e a ciência. Começou um processo perigoso de desacreditar que o Criador criou, que o Salvador salvou e que o mundo espiritual governa o mundo material.

Para os seguidores desse pensamento, o universo é fruto do acaso, o homem é resultado da evolução de seres microscópicos e após a morte o que vem é o eterno nada. Entre os adeptos da teoria da inexistência de Deus, o grupo principal é o dos ateus, sobre quem a Bíblia diz: "Em sua presunção o ímpio não o busca; não há lugar para Deus em nenhum dos seus planos" (Sl 10.4).

A visão ateísta de mundo é triste, solitária, desesperançosa e desesperadora.

A existência de Deus é, antes de tudo, um ato de fé. E fé, por definição bíblica, é "a certeza daquilo que esperamos e a prova das coisas que não vemos" (Hb 11.1). É crer sem que haja provas visíveis. É tomar a falta de prova como prova. Enquanto o cético, por não conseguir provas científicas, diz como o apóstolo Tomé: "Se eu não vir as marcas dos pregos nas suas mãos, não colocar o meu dedo onde estavam os pregos e não puser a minha mão no seu lado, não crerei", Jesus responde: "Pare de duvidar e creia [...] Porque me viu, você creu? Felizes os que não viram e creram" (Jo 20.25,27,29).

A proposta do evangelho pode parecer loucura para muitos, mas Deus escolheu salvar aqueles que creem na loucura da pregação, uma que vez a sabedoria humana recusou-se a conhecê-lo (1Co 1.20-21). Por isso a fé é imprescindível para o relacionamento com Deus, porque é preciso crer que ele existe, mesmo sem vê-lo (Hb 11.6). Lembre-se que, como vimos, Deus se revelou de forma geral, na natureza, e específica, na Bíblia.

Mas ele se revelou também na pessoa de Cristo: "No princípio era aquele que é a Palavra. Ele estava com Deus, e era Deus" (Jo 1.1). Até mesmo por meio da razão é possível apreender a existência do Todo-poderoso, ainda que esse caminho seja limitado e imperfeito, pois Deus está além da razão. Diferentes teólogos e filósofos apresentaram ao longo da história evidências racionais da existência do Criador, como Anselmo de Cantuária, Tomás de Aquino e Immanuel Kant.[5]

Pode ser que muitas vezes a dúvida faça morada em seu coração. A vida está tão difícil, suas orações não são respondidas, há tanta maldade, dor, tristeza e tragédia no mundo! Como Deus permite que tudo isso aconteça? Será que ele é mau ou indiferente? Ou será que esse papo de Deus é um grande conto da carochinha?

Diante daquilo que nos parece injusto, incoerente ou inexplicável, para muitos o caminho mais fácil é duvidar da existência do Ser que tudo controla e que é totalmente amoroso. Diante do contraditório da vida, a tendência de alguns é buscar o caminho que dá menos nós nos neurônios ou que traz a falsa paz de não ter de se preocupar com isso e lançar tudo na conta do acaso e da sorte. Por isso, inventam que Deus não existe, e tudo fica, aparentemente, mais fácil.

A questão é que Deus existe não para ser totalmente entendido, mas para que nos relacionemos com ele. Deus não existe para ser plenamente explicado, mas para que vivamos a jornada com ele. Como sabiamente observou o teólogo Agostinho de Hipona, Deus é mais verdadeiramente imaginado do que expresso, e existe mais verdadeiramente do que é imaginado.

Agora... não há ninguém melhor para responder se Deus existe ou não do que ele mesmo. E o que Deus tem a dizer sobre a ideia de que ele não existe? Isto: "Diz o tolo em seu coração: 'Deus não existe'" (Sl 14.1).

Não seja tolo. Se a dúvida vier, não duvide de Cristo, duvide da sua dúvida. Pois, mesmo que você feche os olhos, os ouvidos e o entendimento para ele, ainda assim ele continuará caminhando ao seu lado na jornada.

Seguro e confortável

> Conhecer a Deus é crucialmente importante para nossa vida. [...] Despreze o estudo de Deus e você estará se sentenciando a passar a vida aos tropeções, como um cego, como se não tivesse nenhum senso de direção e não entendesse aquilo que o rodeia.
>
> J. I. PACKER

Como é Deus? Quais são as principais características do nosso companheiro de jornada? A Bíblia nos apresenta esse Deus:

Ele é uma pessoa e, como tal, fala, sente, pensa e tem vontade própria. Embora seja espírito (Jo 4.24), ele não é uma energia cósmica, uma luz ou uma coisa estranha, como a "força" dos filmes da série *Star Wars.* Tampouco "Deus é tudo e tudo é Deus": não, ele é um Ser pessoal, único, Criador do universo. O mundo não é Deus, mas foi feito por ele. Criador e criatura, entidades separadas.

Como pessoa, Deus tem nome: Jeová ou Javé, dependendo da tradução da Bíblia, e é chamado por pronomes pessoais, como *tu* e *ele* (Sl 116.1-2; Jo 17.3). Também apresenta sentimentos e propriedades de alguém que tem personalidade, como amor (Ap 3.19), tristeza (Gn 6.6), ira (1Rs 11.9) e zelo (Dt 6.15). Como pessoa, Deus também estabelece relacionamentos com sua criação: é Pai (Gl 3.26), é abençoador (Mt 10.29-30), interfere nas atividades humanas (Rm 8.28) e tudo sustenta (Hb 1.3).

Mas Deus constitui uma pessoa diferente, pois é o único ser não criado; pelo contrário, é autoexistente, tem vida em si mesmo: ele simplesmente é. "Disse Deus a Moisés: 'Eu Sou o que Sou. É isto que você dirá aos israelitas: Eu Sou me enviou a vocês'" (Êx 3.14).

Deus também é eterno, nunca teve início e nunca terá fim (Gn 21.33; Dt 33.27; Sl 9.7; Is 40.28). Por isso, ao contrário dos homens, seu passado e seu futuro se unem em um eterno presente.

Além disso, o Senhor é imutável, ou seja, jamais muda. "Eles perecerão, mas tu permanecerás [...] tu permaneces o mesmo, e os teus dias jamais terão fim" (Sl 102.26-27). Deus mesmo afirmou isso a respeito de si próprio: "De fato, eu, o Senhor, não mudo" (Ml 3.6).

Deus é onisciente, o que significa que sabe de todas as coisas.

Deus é onipotente, tem poder ilimitado. "Sei que podes fazer todas as coisas" (Jó 42.2). Ele aplica sua onipotência no universo, na experiência humana e no domínio das coisas espirituais: "Agindo eu, quem o pode desfazer?" (Is 43.13).

Deus é onipresente, isto é, está em todos os lugares ao mesmo tempo (Sl 139.7-12).

A moral do Senhor é perfeita, sua ética é exemplar, aos seus olhos o certo é certo e o errado é errado, de forma absoluta. Ele é sempre verdadeiro (Jo 3.33; Rm 3.4), fiel (Dt 7.9; 1Co 1.9) e jamais mente (Nm 23.19).

O Senhor é sábio (1Sm 2.3; Ef 3.10). É soberano: tudo está sujeito à sua vontade e ao seu poder (1Cr 29.11-12).

Deus também carrega em si justiça, bondade, amor, graça, misericórdia, paciência e muitas outras características que, somadas, lhe atribuem uma virtude essencial. *Perfeição.*

Agora... será que conhecer as características de Deus influencia a sua vida? Sim, e muito. Conhecendo-o bem, você compreende muito mais o que ele faz e nele descansa.

Por ser pessoa, Deus se relaciona com você, ouve sua oração, sente sua dor, tem compaixão e amor, age em seu favor.

Por ser autoexistente e eterno, apresenta-se capaz de agir nos rumos da sua existência e no seu futuro.

Por ser imutável, é confiável, pois seu pensamento é sólido, seus valores são irretocáveis, seu caráter é firme e seu propósito, claro e bem estabelecido.

Por ser onisciente, ele conhece tudo o que você enfrenta, as causas e as soluções, e que caminho você deve seguir.

Por ser onipotente, ele tem a capacidade de agir em seu favor em qualquer circunstância. Nada está fora de seu alcance.

Por ser onipresente, ele está sempre na sua jornada, não importa aonde ela o leve.

Por ser sábio, ele produz sempre os melhores resultados possíveis na sua vida.

Por ser ele soberano, tudo o que ocorre com você está sob a vontade divina, que é "boa, agradável e perfeita" (Rm 12.2).

Por ser absolutamente perfeito, ele tem credibilidade: você pode acreditar em tudo o que ele diz por meio da Bíblia e, ainda, é o melhor companheiro possível na jornada da vida.

Agora que você conhece mais profundamente as características de Deus, não se sente muito mais seguro e confortável por estar na jornada com ele?

Você não é insignificante ou desprezível

> Como a natureza de Deus não eliminou a natureza de servo, assim a natureza de servo não diminuiu a natureza de Deus.
>
> LEÃO MAGNO

Vamos brincar de detetive?

O trabalho de um detetive é bem interessante. Ele começa a investigar uma série de pistas, uma a uma, como pequeninas peças de um grande quebra-cabeça. E é só quando ele reúne todas as informações que consegue, finalmente, chegar a uma conclusão. Já sei quem roubou o diamante! Descobri o assassino! Não é assim?

Pois, no começo da história da Igreja, os primeiros cristãos tiveram de fazer algo parecido: eles investigaram Jesus e, a partir da reunião de uma série de pistas, chegaram a uma conclusão sobre ele. Vamos seguir os mesmos cinco passos dessa investigação? Façamos assim: eu dou as pistas e, ao final, você apresenta sua conclusão.

Pista 1: *Investigue de que Jesus é chamado.* "Ele estava com Deus, e era Deus" (Jo 1.1). "Mas a respeito do Filho, diz [o Pai]: 'O teu trono, ó Deus...'" (Hb 1.8). "Senhor meu e Deus meu!" (Jo 20.28). No sistema judaico, quando alguém era chamado de "filho", significava que ele compartilhava da essência do pai. E Jesus foi chamado de quê? "Tu és o Cristo, o Filho do Deus vivo" (Mt 16.16).

Pista 2: *Investigue as características de Jesus.* Eternidade: "Eu sou o Alfa e o Ômega, o Primeiro e o Último, o Princípio e o Fim" (Ap 22.13). Onipotência: "Foi-me dada toda a autoridade nos céus e na terra" (Mt 28.18). Onisciência: "Senhor, tu sabes todas as coisas" (Jo 21.17). Onipresença: "E eu estarei sempre com vocês, até o fim dos tempos" (Mt 28.20).

Pista 3: *Investigue o que Jesus aceitou que lhe fizessem*: "E ainda, quando Deus introduz o Primogênito no mundo, diz: 'Todos os anjos de Deus o adorem'" (Hb 1.6). "Então o homem disse: 'Senhor, eu creio'. E o adorou" (Jo 9.38). "Um leproso, aproximando-se, adorou-o de joelhos" (Mt 8.2). "A mulher veio, adorou-o de joelhos..." (Mt 15.25).

Pista 4: *Investigue a quem pertencem os ofícios e as atividades que Jesus desempenhou.* Criador: "[Em Jesus] foram criadas todas as coisas nos céus e na terra, as visíveis e as invisíveis, sejam tronos ou soberanias, poderes ou autoridades; todas as coisas foram criadas por ele e para ele" (Cl 1.16). Sustentador: "O Filho é o resplendor da glória de Deus e a expressão exata do seu ser, sustentando todas as coisas por sua palavra poderosa" (Hb 1.3). Perdoador: "Jesus disse ao paralítico: 'Tenha bom ânimo, filho; os seus pecados estão perdoados'" (Mt 9.2). Ressuscitador: "Porque a vontade de meu Pai é que todo aquele que olhar para o Filho e nele crer tenha a vida eterna, e eu o ressuscitarei no último dia" (Jo 6.40). Juiz: "Na presença de Deus e de Cristo Jesus, que há de julgar os vivos e os mortos" (2Tm 4.1).

Pista 5: *Investigue o que Jesus disse de si mesmo.* "Outra vez o sumo sacerdote lhe perguntou: 'Você é o Cristo, o Filho do Deus Bendito?' 'Sou', disse Jesus. 'E vereis o Filho do homem assentado à direita do Poderoso vindo com as nuvens do céu'" (Mc 14.61-62). "Eu e o Pai somos um" (Jo 10.30). "Sou Filho de Deus" (Jo 10.36). "Quem me vê, vê o Pai" (Jo 14.9). "E agora, Pai, glorifica-me junto a ti, com a glória que eu tinha contigo antes que o mundo existisse" (Jo 17.5).

Se você prestou atenção, conseguiu descobrir as cinco pistas sobre Jesus. Compare agora e veja se acertou:

Pista 1: Jesus foi chamado de Deus.

Pista 2: Jesus tinha características exclusivas de Deus.

Pista 3: Cristo aceitou adoração, algo impensável para um judeu de sua época, pois só Deus poderia ser adorado.

Pista 4: Os ofícios e as atividades desempenhados por Jesus pertencem exclusivamente a Deus.

Pista 5: Jesus disse que ele era Deus.

Muito bem, detetive, agora que você tem as peças do quebra-cabeça, qual é sua grande conclusão? Isso mesmo:

Jesus é Deus.

Você realizou o mesmo trabalho que os primeiros cristãos e chegou à mesma conclusão: a divindade de Cristo é um fato. Ele não foi só um profeta, um ser iluminado, um sábio ou um revolucionário: Jesus é Deus, digno de adoração e exaltação. Ele é o centro de tudo. Tudo no universo é a respeito dele, por ele, nele e para ele. A Cristo toda honra, toda glória e todo louvor!

Saiba que estar na jornada com Cristo é viver a vida acompanhado, a cada segundo, do próprio Deus. Que percepção extraordinária! Você não é apenas uma formiguinha insignificante que habita um planeta que, por sua vez, é uma poeirinha no cosmos.

Você não é nada insignificante ou desprezível!

Pois o próprio Deus amou e valorizou você de tal maneira que encarnou como homem e subiu à cruz em meio a sofrimentos agonizantes, por uma única razão.

Para que pudesse estar na jornada... *com você.*

Tudo é possível

> Se continuarmos nos questionando a respeito do único ponto sobre o qual, de acordo com as Escrituras, nossa atenção e nossos pensamentos devem se concentrar, então, do começo ao fim, a Bíblia aponta-nos o nome de Jesus Cristo.
>
> KARL BARTH

"E agora, Pai, glorifica-me junto a ti, com a glória que eu tinha contigo antes que o mundo existisse" (Jo 17.5). Que ser humano poderia fazer uma afirmação como essa?

Loucura!

Petulância!

Blasfêmia!

Afirmar tal coisa seria atribuir a si mesmo um caráter angelical ou divino; afinal, nenhum ser humano existia antes da fundação do mundo!

Exceto um.

O homem que fez tal oração não estava mentindo. Ele existia antes do início, mas na forma pura de Deus. E, na plenitude do tempo, encarnou como homem.

Jesus. Sempre divino. Agora, humano. Criador, fez-se como uma de suas criaturas por amor a elas. Quem crê na existência de Deus Pai não duvida de que ele é Criador. Mas, em nossos dias, muitos põem em dúvida a real existência de Jesus antes da criação. Para alguns ele foi um profeta, para outros, um sábio; há quem o considere um ser iluminado ou meramente um revolucionário. Mas... o que o próprio Jesus afirmou a seu respeito?

"Eu e o Pai somos um" (Jo 10.30). Jesus se colocou em condição de igualdade com relação à divindade do Pai.

O apóstolo Paulo explicou bem essa realidade: "Seja a atitude de vocês a mesma de Cristo Jesus, que, embora sendo Deus, não considerou que o ser igual a Deus era algo a que devia apegar-se; mas esvaziou-se a si mesmo, vindo a ser servo, tornando-se semelhante aos homens" (Fp 2.5-7). Cristo já existia eternamente antes do seu nascimento físico. Ele era antes que o mundo fosse. É o que chamamos de *preexistência.*

Ao orar ao Pai, ele assegurou: "[Tu] me amaste antes da criação do mundo" (Jo 17.24).

Aos teólogos fariseus, foi incisivo, referindo-se ao patriarca Abraão, que vivera mais de dois milênios antes: "Eu lhes afirmo que antes de Abraão nascer, Eu Sou!" (Jo 8.58).

Ao apóstolo João, na visão que originou o livro de Apocalipse, ele revelou: "Eu sou o Alfa e o Ômega [...] o que é, o que era e o que há de vir, o Todo-poderoso" (Ap 1.8). Alfa é a primeira letra do alfabeto grego e ômega, a última. Ao dizer isso, Jesus afirma sua existência anterior e posterior. Preexistente.

> No princípio era aquele que é a Palavra. Ele estava com Deus, e era Deus. Ele estava com Deus no princípio. Todas as coisas foram feitas por intermédio dele; sem ele, nada do que existe teria sido feito. Nele estava a vida, e esta era a luz dos homens. A luz brilha nas trevas, e as trevas não a derrotaram. [...] Aquele que é a Palavra estava no mundo, e o mundo foi feito por intermédio dele, mas o mundo não o reconheceu.
>
> João 1.15,10

A preexistência de Jesus implica necessariamente sua realidade criadora. Se ele existia antes da criação do mundo em forma cristalina de Deus, foi um agente ativo na formação do universo e de tudo o que nele há. "Ele é a imagem do Deus invisível, [...] nele foram criadas todas as coisas nos céus e na terra, as visíveis e as invisíveis, [...] todas as coisas foram criadas por ele e para ele. Ele é antes de todas as coisas, e nele tudo subsiste" (Cl 1.15-17). Sim, Jesus é Criador. "[Deus] falou-nos por meio do Filho, a quem constituiu herdeiro de todas as coisas e por meio de quem fez o universo. O Filho é o resplendor da glória de Deus e a expressão exata do seu ser, sustentando todas as coisas por sua palavra poderosa" (Hb 1.1-2).

Compreender que Jesus existia antes de tudo o que foi criado e que participou ativamente da criação muda completamente nossa visão sobre ele. Leva-nos a adorá-lo e a glorificá-lo pelo que é em sua essência.

Além disso, saber que é esse Cristo quem caminha ao seu lado na jornada revela que você tem mais do que um mero ser humano compartilhando de todos os seus bons e maus momentos: tem alguém com uma capacidade inesgotável e absoluta de solucionar problemas e de abençoá-lo com tudo o que ele desejar.

Na jornada com você está aquele por meio de quem tudo foi realizado, criado, estabelecido, construído. Na jornada com você está quem formou os sentimentos, o amor, a alegria, a paz.

Ele fez tudo a partir do nada. Ele pode resolver qualquer problema que quiser.

Sim, ele tem esse poder. Recorra a Cristo. Recorra ao seu companheiro de jornada. Pois "todas as coisas são possíveis" (Mt 19.26) para esse seu maravilhoso, eterno e poderoso amigo.

Jesus entende você

> Este nascimento no tempo não diminuiu em nada o nascimento divino e eterno [...] pois não poderíamos vencer o autor do pecado e da morte a não ser que aquele a quem o pecado não podia manchar nem a morte podia agarrar assumisse a nossa natureza e a tornasse sua própria.
>
> CIRILO DE ALEXANDRIA

Deus criou a humanidade, que pecou e, com isso, criou um abismo entre ela e o Criador. Ao pecar, como já vimos, o ser humano afundou na lama da transgressão e se tornou merecedor de castigo. Mas Deus amou tanto a humanidade que decidiu que algo precisava ser feito para restabelecer o relacionamento entre ambos.

Até aí eu entendia.

Para restaurar a aliança entre ele e a humanidade, Deus precisou se fazer homem como os demais, sofrer, morrer e ressuscitar.

E isso... eu não conseguia entender.

No começo da minha jornada com Cristo, quando eu ainda estava engatinhando no aprendizado do evangelho, eu não compreendia de jeito nenhum a necessidade de Deus se fazer homem. "Ora, bolas", eu pensava, "se Deus é Todo-poderoso, bastava ele dizer uma palavra, declarar o homem justo de novo, perdoar seus pecados e pronto. Não tinha necessidade nenhuma de o Filho ter encarnado e passado por tudo o que passou."

Mas eu estava enganado.

O que eu não compreendia é que a justiça divina exigia que um homem pagasse o preço pela transgressão do homem, mas o sangue de um homem comum jamais seria suficiente para pagar esse preço. Se Jesus fosse um homem como qualquer outro ser criado, seu sacrifício não seria válido ou aceitável, pois sua morte seria apenas a de um mártir. Em contrapartida, se Jesus fosse Deus mas não homem, seu sacrifício não seria válido ou aceitável, pois como poderia um Deus morrer?

Portanto, a Divindade se fazer humana era o único caminho para a salvação dos pecadores. Pois, sendo 100% Deus e 100% homem, seu sacrifício seria válido e aceitável por ser o sacrificado mais que um mártir e, ao mesmo tempo, Deus.

Já vimos que Jesus é Deus, a Bíblia deixa isso muito claro. Mas será que as Escrituras também afirmam que ele era plenamente homem? Não seria ele um espírito com aparência humana, uma espécie de fantasma? Não, nada disso. A Bíblia enfatiza que Jesus era um homem absolutamente humano como qualquer outro. A diferença é que ele não pecou jamais, o que tornou seu sacrifício aceitável.

"Todo espírito que confessa que Jesus Cristo veio em carne procede de Deus" (1Jo 4.2). Sim, ele veio em carne. Teve sangue, saliva, suor. Foi humano como qualquer outro. Tanto que teve uma família humana: "Não é este o filho do carpinteiro? O nome de sua mãe não é Maria, e não são seus irmãos Tiago, José, Simão e Judas? Não estão conosco todas as suas irmãs?" (Mt 13.55-56).

Apesar de ter sido concebido de forma sobrenatural, Jesus nasceu de maneira natural e cresceu como qualquer criança. "O menino crescia e se fortalecia, enchendo-se de sabedoria; e a graça de Deus estava sobre ele. [...] Jesus ia crescendo em sabedoria, estatura e graça diante de Deus e dos homens" (Lc 2.40,52). Além disso, a Bíblia mostra que Jesus se cansava, sentia fome (Mc 6.31), dormia (Mt 8.24-25) e chorava (Jo 11.35), além de sentir sede (Jo 4.9), realidades inconcebíveis para quem não é humano.

Em pelo menos oitenta ocasiões, Cristo também se autoproclamou "Filho do homem", o que, na cultura judaica de sua época, significava "de essência humana". Para aqueles que viviam então, não havia dúvida quanto a sua humanidade: "Pois há um só Deus e um só mediador entre Deus e os homens: o *homem* Cristo Jesus" (1Tm 2.5), escreveu o apóstolo Paulo.

Jesus é totalmente homem. Por ser humano como você, ele entende tudo o que você enfrenta, suas dificuldades e aflições. Nada pelo que você passa é desconhecido para ele. Jesus sabe o que é sentir medo, dor, tristeza, frio, fome, sede, exaustão, compaixão, dúvida, tentações.

Se você está enfrentando qualquer tipo de problema na jornada, saiba que o seu companheiro o entende plenamente, pois viveu na pele o que você está vivendo. "Portanto, visto que os filhos são pessoas de carne e sangue, ele também participou dessa condição humana [...]. Porque, tendo em vista o que ele mesmo sofreu quando tentado, ele é capaz de socorrer aqueles que também estão sendo tentados" (Hb 2.14,18). "[Pois] não temos um sumo sacerdote que não possa compadecer-se das nossas fraquezas, mas sim alguém que, como nós, passou por todo tipo de tentação, porém, sem pecado. Assim, aproximemo-nos do trono da graça com toda a confiança, a fim de recebermos misericórdia e encontrarmos graça que nos ajude no momento da necessidade" (Hb 4.15-16).

Você está vivendo momento de necessidade? Então receba a misericórdia e a graça do homem Deus que entende você totalmente.

Deus tem um plano para a sua vida

> Meu Deus! Meu Deus! Por que me abandonaste? [...] Perfuraram minhas mãos e meus pés. Posso contar todos os meus ossos, mas eles me encaram com desprezo. Dividiram as minhas roupas entre si, e lançaram sortes pelas minhas vestes.
>
> DAVI, REI E PROFETA, NO SALMO 22

Era madrugada. Com 21 anos, eu voltava da festa de aniversário de uma amiga, dirigindo, sozinho e exausto, o carro de meus pais. Assim que entrei na enseada de Botafogo, no Rio de Janeiro, o sono falou mais alto. Fechei os olhos. E dormi.

Tudo durou poucos segundos. O Opala de meus pais seguiu em linha reta e acertou a toda velocidade um poste que ficava em um canteiro localizado entre as duas pistas. Acordei de olhos arregalados com o estrondo e as cambalhotas do veículo. Agarrei-me com força ao volante e, impotente, esperei o fim. Quando a capotagem acabou, eu estava na pista contrária, com o automóvel destroçado e virado em direção oposta à que vinha, mas, milagrosamente, vivo e sem ferimentos.

Aquilo pelo que passei tem nome.

Acidente.

Por definição, acidentes são acontecimentos inesperados, súbitos, fortuitos, imprevistos, que acontecem sem terem sido planejados. Quando acordei na manhã daquele dia de 1993, não podia imaginar que chegaria ao final dele tendo olhado a morte nos olhos.

Acidente.

Mas a encarnação de Cristo para morrer na cruz como o Cordeiro de Deus que tira o pecado do mundo foi tudo, menos um acidente. Sua vinda foi um acontecimento amplamente anunciado, esperado e planejado desde eras imemoriais, pois o "Cordeiro [...] foi morto desde a criação do mundo" (Ap 13.8). A maior prova disso são as profecias: há no Antigo Testamento mais de trezentas profecias sobre Cristo.[6]

E ele confirmou: eram sobre ele mesmo. Depois de sua ressurreição, quando caminhava com dois discípulos na estrada a caminho do vilarejo de Emaús, Jesus "explicou-lhes o que constava a respeito dele em todas as Escrituras" (Lc 24.27). E ele não economizou confirmações de que ele era, sim, o Messias ("ungido", em hebraico) a respeito de quem os escritos dos profetas falavam havia séculos: "Se vocês cressem em Moisés, creriam em mim, pois ele escreveu a meu respeito" (Jo 5.46).

As profecias sobre a vinda do Messias começaram ainda no Éden. Assim que o pecado entrou na humanidade, Deus anunciou a Satanás: "Porei inimizade entre você e a mulher, entre a sua descendência e o descendente dela; este lhe ferirá a cabeça, e você lhe ferirá o calcanhar" (Gn 3.15). Tempos depois, o profeta Isaías profetizou: "a virgem ficará grávida e dará à luz um filho, e o chamará Emanuel" (Is 7.14). "Emanuel" significa "Deus conosco", uma referência à encarnação de Cristo e seu nascimento virginal.

O profeta Miqueias chegou a mencionar a cidade em que nasceria o Messias: "Mas tu, Belém-Efrata, embora pequena entre os clãs de Judá, de ti virá para mim aquele que será o governante sobre Israel" (Mq 5.2), enquanto o profeta Daniel anunciou o tempo para o nascimento do Messias (cf. Dn 9.24-26).

Isaías é conhecido como "profeta messiânico", por ter profetizado muito acerca de Jesus. O livro que escreveu é extraordinário, pois transmite profecias muito precisas sobre Cristo, como, por exemplo, seus milagres: "Então se abrirão os olhos dos cegos e se destaparão os ouvidos dos surdos. Então os coxos saltarão como o cervo, e a língua do mudo cantará" (Is 35.5-6).

Séculos depois, Cristo se referiu a essa profecia para mostrar que ele era o Messias:

> João, ao ouvir na prisão o que Cristo estava fazendo, enviou seus discípulos para lhe perguntarem: "És tu aquele que haveria de vir ou devemos esperar algum outro?" Jesus respondeu:

"Voltem e anunciem a João o que vocês estão ouvindo e vendo: os cegos veem, os aleijados andam, os leprosos são purificados, os surdos ouvem, os mortos são ressuscitados, e as boas-novas são pregadas aos pobres".

Mateus 11.2-5

Saber que a vida e as ações de Cristo não foram um acidente, mas o resultado de um plano meticulosamente elaborado pela Divindade e validado pela divulgação com antecedência por meio de profecias, nos dá segurança de que fazemos parte de um projeto celestial maior. Não existe acaso, nem sorte, mas um grande propósito de Deus, que envolve toda a humanidade. E envolve... você.

Sorria, Deus tem um plano preparado para a sua vida.

Por amor a você

> Ao padecer por amor e obediência, Cristo ofereceu a Deus algo muito maior do que poderia ser pago como compensação por toda ofensa causada pela humanidade.
>
> Tomás de Aquino

É possível resumir o foco da missão de Cristo em uma única palavra.

Cruz.

Jesus não veio à terra prioritariamente para transmitir bons ensinamentos, dar o exemplo, nos estimular a ser caridosos, nada disso. Esses foram benefícios adicionais à obra principal de Cristo. O salvo por Jesus é impelido naturalmente a abraçar os ensinos e a ética cristãos, mas a missão central e motivadora da vinda do Filho em carne foi *morrer pelos pecados do mundo* e, com isso, restaurar a comunhão perfeita da humanidade com Deus. Ele mesmo explicou com clareza: "o Filho do homem veio para [...] servir e dar a sua vida em resgate por muitos" (Mc 10.45).

Sim, como homem, Jesus nasceu com a finalidade de morrer.

É muito interessante observar como as poucas frases que ele disse em sua crucificação apontam especificamente para os benefícios que sua morte nos trouxe.

1. "Meu Deus! Meu Deus! Por que me abandonaste?" (Mt 27.46). O Cordeiro de Deus, sacrificado pelos pecados do mundo, mostrou como *sua morte nos dará a vitória final sobre o pecado.* Essas palavras de Cristo mostram a agonia do distanciamento causado pela carga que sobre ele recaiu das transgressões da existência humana. Como Deus não suporta o pecado, esse distanciamento levou o Filho a se sentir abandonado.

2. "Jesus disse: 'Está consumado!'" (Jo 19.30). Ao proclamar que sua obra redentora estava completa, Cristo deixou clara sua *vitória sobre o pecado, a morte, a carne e o Diabo.*

3. "Pai, perdoa-lhes, pois não sabem o que estão fazendo" (Lc 23.34). Por ser totalmente misericordioso e compassivo, Cristo pediu ao Pai o perdão para seus executores, revelando outra consequência da cruz: *o perdão dos pecados*, que se estende até hoje: "Se, porém, alguém pecar, temos um intercessor junto ao Pai, Jesus Cristo, o Justo" (1Jo 2.1).

4. "'Jesus, lembra-te de mim quando entrares no teu Reino'. Jesus lhe respondeu: 'Eu lhe garanto: Hoje você estará comigo no paraíso'" (Lc 23.42-43). Crucificado entre dois ladrões, o Senhor concedeu ao que lhe pediu o acesso ao paraíso. Sim, *aquele que faz aliança com Cristo passa a ter direito a viver a eternidade na companhia dele.*

Mas a morte de Cristo na cruz nos concedeu ainda mais.

1. *Expiação:* seu sacrifício perfeito encobriu nossas culpas. Antes da vinda de Jesus, os judeus faziam expiação pelo imperfeito sacrifício de animais, como exigia a Lei de Moisés. O sacrifício perfeito do Cordeiro de Deus eliminou definitivamente a necessidade da morte de animais: "Cristo nos amou e se entregou por nós como oferta e sacrifício de aroma agradável a Deus" (Ef 5.2). Na cruz, Cristo se ofereceu como expiação pelos pecados que você teria de pagar.

2. *Redenção:* seu sacrifício perfeito pagou o preço do resgate por nossa dívida, saldando-a. "Pois vocês sabem que não foi por meio de coisas perecíveis como prata ou ouro que vocês foram redimidos da sua maneira vazia de viver, transmitida por seus antepassados, mas pelo precioso sangue de Cristo, como de um cordeiro sem mancha e sem defeito" (1Pe 1.18-19). Na cruz, Jesus redimiu você de sua dívida de desobediência.

3. *Reconciliação:* seu sacrifício perfeito restabeleceu a paz e a comunhão com Deus, rompida quando a humanidade o ofendeu. "[Nós] nos gloriamos em Deus, por meio de nosso Senhor Jesus Cristo, mediante quem recebemos agora a reconciliação" (Rm 5.11). Na cruz, Jesus restabeleceu o relacionamento entre você e Deus, reconciliando-os.

4. *Propiciação:* seu sacrifício perfeito encobriu, por sua misericórdia, a maldição da Lei. "[Jesus] é a propiciação

pelos nossos pecados" (1Jo 2.2). Na cruz, Jesus propiciou o aplacamento da ira de Deus pelo pecado que você cometeu.

Por isso, tenha sempre em mente que: a morte de Jesus na cruz concedeu a você a vitória sobre o pecado, a morte, a carne e o Diabo; habilitou-o a receber o perdão restaurador; abriu-lhe os portões do céu para uma eternidade ao lado de Deus; proporcionou-lhe a expiação de toda a culpa; promoveu a sua redenção; viabilizou sua reconciliação com Deus e encobriu toda a sua transgressão.

Bendito seja o Senhor Jesus Cristo, que lhe proporcionou tudo isso ao ser cravado na cruz... por amor a você.

Caminhe com confiança e segurança

> A fé dos cristãos não é louvável porque eles creem no Cristo que morreu, mas, sim, porque creem no Cristo que ressuscitou.
>
> AGOSTINHO DE HIPONA

A crucificação foi o método de execução adotado pelo Império Romano para punir escravos rebeldes, criminosos violentos e subversivos políticos. Foram dezenas de milhares de pessoas crucificadas naquela época sob o comando de Roma. Por isso, aos olhos de muitos, aquele carpinteiro de Nazaré era apenas mais um entre tantos. O que poderia diferenciá-lo dos outros milhares de crucificados?

Ressurreição.

Jesus morreu como qualquer um, mas ressuscitou como ninguém mais.

A ressurreição corporal de Cristo é o alicerce do evangelho e da pregação cristã: "se Cristo não ressuscitou, é inútil a nossa pregação, como também é inútil a fé que vocês têm [...] e ainda estão em seus pecados. Neste caso, também os que dormiram em Cristo estão perdidos" (1Co 15.14,17-18), explica o apóstolo Paulo.

Sem ressurreição, sem esperança.

A ressurreição não foi uma lenda nem uma invenção: foi um fato bem documentado. "Depois do seu sofrimento, Jesus apresentou-se a eles e deu-lhes muitas provas indiscutíveis de que estava vivo. Apareceu-lhes por um período de quarenta dias falando-lhes acerca do Reino de Deus" (At 1.3).[7] O Novo Testamento menciona a ressurreição de Cristo mais de cem vezes, tamanha é a importância desse evento.

Se por um lado a morte de Cristo nos concedeu salvação, por outro a ressurreição assegurou a eficácia e o poder dessa salvação. E mais: a ressurreição do Senhor nos assegura que, se vivermos na jornada com ele, também seremos ressuscitados no último dia. "Se cremos que Jesus morreu e ressurgiu, cremos também que Deus trará, mediante Jesus e com ele, aqueles que nele dormiram" (1Ts 4.14); "aquele que ressuscitou o Senhor Jesus dentre os mortos, também nos ressuscitará com Jesus e nos apresentará com vocês" (2Co 4.14).

Mas, se a ressurreição de Cristo fundamentou a mensagem do evangelho, foi sua ascensão aos céus que completou o plano celestial de redenção. "Tendo dito isso, [Jesus] foi elevado às alturas enquanto eles olhavam, e uma nuvem o encobriu da vista deles" (At 1.9). Entenda: o que aconteceu foi que um homem literalmente desafiou a lei da gravidade e, como se erguido por fios invisíveis, subiu lentamente em direção ao céu. E subiu tão alto que só quando adentrou uma nuvem deixou de ser visto.

Mas... por que isso foi necessário? Para mostrar que seu corpo ressurreto é o que chamamos de "corpo glorificado": embora de carne e osso, desafia leis da matéria. E assim também será o corpo dos salvos quando ocorrer a ressurreição dos mortos. Além disso, a ascensão concluiu a obra da redenção, encerrando de modo visível o ministério terreno de Jesus.

Ao ascender aos céus, o Filho retornou a onde estava antes de sua encarnação, desapegando-se das limitações de tempo e espaço, o que permitiu sua atuação onipresente em nossos dias: "E eu estarei sempre com vocês, até o fim dos tempos" (Mt 28.20). "Pois onde se reunirem dois ou três em meu nome, ali eu estou no meio deles" (Mt 18.20).

A ressurreição e a ascensão de Cristo lhe asseguram a veracidade de sua fé — que não se baseia em histórias de homens, mas em fatos divinos — e da pregação do evangelho — que não é conto da carochinha, mas vida e poder. Além disso, lhe garantem que, se perseverar na jornada com Cristo, você será ressuscitado, em glória, no último dia.

E pode ter esta certeza: uma vez que Jesus subiu às regiões celestiais, ele está presente em cada segundo da sua vida, ao alcance de uma simples oração, vendo tudo o que ocorre com você e sempre disponível para sustentá-lo e socorrê-lo.

Você está na jornada com o Cristo que ressuscitou e ascendeu aos céus? Então lembre-se: ele tem poder e está presente; portanto, caminhe com confiança e segurança a cada passo da jornada — até o dia do grande prêmio.

Conte com ele

> As almas nas quais o Espírito habita são por ele iluminadas, assumindo seu caráter e transmitindo sua graça a outros.
>
> BASÍLIO DE CESAREIA

Viver na jornada com Cristo significa viver na jornada com o Espírito Santo. É impossível caminhar com um deixando o outro de lado. E isso é fácil de perceber, basta observar que ele está presente em toda a vida de Cristo, como um companheiro inseparável, desde o primeiro segundo da encarnação. Disse o anjo a Maria: "O Espírito Santo virá sobre você, e o poder do Altíssimo a cobrirá com a sua sombra" (Lc 1.35). E isso foi só o começo:

> O anúncio do ministério de Jesus, feito por João Batista, destaca o lugar do Espírito Santo (Mc 1.8), presente também logo no início do seu ministério público, no momento do seu batismo (Mt 3.16; Mc 1.10; Lc 3.22; Jo 1.32; cf. At 10.38). Imediatamente após o batismo, Jesus ficou "cheio do Espírito Santo" (Lc 4.1). [...] O restante do ministério de Jesus foi também conduzido no poder do Espírito Santo (Lc 4.14). [...] Temos evidência da

> ação do Espírito na vida de Jesus também em seus milagres, mas especialmente na expulsão dos demônios (Mt 12.25-27). Sua condenação às palavras dos fariseus como "blasfêmia contra o Espírito" (12.31) [...] são provas de que o que havia acabado de fazer fora feito pelo poder do Espírito Santo. Toda a vida de Jesus foi vivida "no Espírito Santo" (cf. Lc 10.17,21). [...] Cristo, pelo Espírito, ofereceu-se, sem pecado, para ser morto (Hb 9.14), ressuscitou e foi estabelecido em poder.[8]

Que extraordinário! Jesus não é um solitário. O que ele fez e faz é em "parceria" com o Espírito Santo.

Você se arrepende da sua vida de pecados e crê em Cristo como seu Salvador? Pois adivinhe quem o levou a isso? Disse Jesus: "Se eu não for, o Conselheiro não virá para vocês; mas se eu for, eu o enviarei. Quando ele vier, *convencerá o mundo do pecado, da justiça e do juízo* [...] quando o Espírito da verdade vier, ele os guiará a toda a verdade" (Jo 16.7-8,13).

Você creu em Cristo como seu Salvador? Pois adivinhe quem passou a habitar em você? "[O] corpo de vocês é santuário *do Espírito Santo que habita em vocês*, que lhes foi dado por Deus" (1Co 6.19).

O Espírito Santo desempenha uma série de papéis. Jesus ascendeu e deixou conosco esse maravilhoso Conselheiro, para agir vigorosamente em nosso dia a dia. Assim, o Espírito Santo atua de diversas maneiras em sua jornada: ele cria, dá vida, instrui, chama ao arrependimento, reprova, consola, ajuda nas fraquezas, sonda, ensina, guia, fala, testifica, ordena, concede dons, revela, luta, intercede e santifica.

Acredite: o Espírito Santo não fica, inerte e indiferente, olhando a sua vida passar. Muito pelo contrário, ele está sempre em ação e atua com três focos principais: salvação, revelação e vida cristã.

Na salvação, ele age no processo de santificação, lapidando o cristão para que ele se torne cada dia mais conformado à imagem de Cristo.

Na revelação, ele nos conduz à verdade de Deus, seja mediante a verdade bíblica (pois foi o Espírito Santo quem inspirou os escritores da Bíblia naquilo que deveriam escrever; cf. 2Tm 3.16), seja no entendimento diário das realidades espirituais, seja na condução da resposta humana diante da revelação de Deus.

Na vida cristã, o Espírito conduz todos os que receberam a Cristo como seu Salvador à unidade espiritual, à oração, à adoração, à espiritualidade e a uma vida moralmente correta e ajustada aos padrões de Deus.

Assim, o Todo-poderoso Espírito Santo age com total conhecimento das coisas e em todos os lugares ao mesmo tempo. Não se esqueça de que ele é uma pessoa e, por isso, tem inteligência, vontade e sentimentos; não é uma força, uma energia ou uma pombinha (muita gente pensa nele assim por causa do episódio do batismo de Jesus, quando ele se manifestou na forma de uma pomba).

O Espírito Santo é seu amigo e está disposto a agir para o seu bem e para conformar você à imagem de Cristo. Conte com ele.

Tire um momento para refletir

Mesmo em meio às muitas dificuldades e tragédias da vida, a existência de Deus é um fato bíblico. E não um deus qualquer, mas o Deus de personalidade bem definida, com nome, características pessoais e atributos bastante claros.

Deus é trino: um só Deus, mas três pessoas — Pai, Filho e Espírito Santo.

Das três pessoas da Trindade, Jesus ganha destaque por ser o centro da proclamação do evangelho. A Bíblia o apresenta como totalmente divino e totalmente humano, com todas as implicações desse grande mistério.

A encarnação, morte, ressurreição e ascensão de Cristo foram meticulosamente planejadas e previamente anunciadas. Ao morrer na cruz, ele nos proveu expiação, redenção, reconciliação e propiciação. Depois de vencer a morte, ele ressuscitou e ascendeu aos céus. De lá, participa da jornada de todo aquele que nele crê.

Junto com Jesus, estão o Pai e o Espírito Santo. Esse é um agente bastante ativo, com três focos principais de atuação: salvação, revelação e vida cristã.

A história da humanidade sofrerá uma guinada quando da volta de...?

É o que veremos em seguida.

Tire um momento para orar

Deus, tu és insondável e misterioso. Minha mente é limitada demais para compreender o mistério da Trindade, mas, ainda assim, creio na tua verdade. Eu te agradeço porque, por ser totalmente homem e totalmente Deus, Jesus, ao morrer pelos meus pecados, foi capaz de pagar o preço que eu jamais teria condições de pagar.

Agradeço por todo o amor demonstrado na vinda do teu Filho, que expiou minha culpa, me redimiu e me reconciliou contigo, ao fazer a propiciação por mim. Fico exultante por saber que, ao ressuscitar e subir aos céus, Jesus venceu a morte e se permite estar presente na minha jornada. Que o teu Espírito Santo aja sempre em minha vida, ajudando-me, consolando-me, aconselhando-me e conduzindo-me ao arrependimento. Assim te peço. Amém.

Chegando ao destino certo

Você está protegido

> Um anjo é uma criatura espiritual sem corpo, criada por Deus para o serviço da cristandade e da Igreja.
>
> MARTINHO LUTERO

Conheço pessoas que são fascinadas por criaturas sobre as quais nunca puseram os olhos. Alguns amiguinhos de minha filha amam dinossauros. Há cientistas interessadíssimos em desvendar os mistérios dos vírus. Vi na televisão pesquisadores dedicados ao estudo de peixes das profundezas abissais dos oceanos. Existe até um grupo obstinado em encontrar criaturas mitológicas, como o Pé-grande, o Monstro do Lago Ness ou o ET de Varginha. Mas, se você me perguntasse que tipo de ser criado mais me encanta, eu teria a resposta na ponta da língua.

Anjos.

A Bíblia deixa claro que eles existem e fornece pistas sobre sua atuação. Formados por Deus e limitados em poder, esses seres estão longe de ser divindades. Não são onipresentes, oniscientes e onipotentes como o Senhor, mas, em contrapartida, são seres pessoais, com inteligência, vontade e emoções. São imortais e espirituais e, portanto, não possuem corpo físico, o que não os impede de se materializarem com aparência de homens comuns — se por capacidade própria ou ação divina, as Escrituras não dizem.

A Bíblia menciona a existência de multidões de anjos, mas só cita o nome de dois: Miguel (Jd 9; Ap 12.7) e Gabriel, aquele que anunciou o nascimento de Jesus a Maria. As Escrituras falam sobre algum tipo de divisão entre os anjos, embora não fiquem muito claras as totais atribuições de cada uma: arcanjos, querubins e serafins. Fora disso, esqueça todo e qualquer tipo de ensino sobre hierarquias angelicais e coisas similares: o que vai além do ensino bíblico é mera invenção de mentes imaginativas ou mal-intencionadas.

Ao longo do texto bíblico, encontramos anjos realizando diferentes tarefas, como adoração a Deus, auxílio na execução de juízos e anúncios de mensagens divinas aos homens, instrução, orientação e proteção do povo de Deus. Mas, de todas as explicações sobre o papel dos anjos, a mais extraordinária está no livro de Hebreus: "Os anjos não são, todos eles, espíritos ministradores enviados para servir aqueles que hão de herdar a salvação?" (Hb 1.14).

Você não se anima ao ler isso?

Se você está na jornada com Cristo, tenha a certeza de que Deus designa seres espirituais para servi-lo. Não me refiro à cultura popular sobre a figura do "anjo da guarda".

Concentre-se na narrativa bíblica: talvez você seja servido diariamente não por um, mas por legiões de anjos.

De que maneira exatamente isso ocorre, não sabemos. Mas a Bíblia dá pistas. Uma história reveladora envolve o profeta Eliseu. A Síria estava em guerra contra Israel, mas, sempre que o rei sírio bolava um plano de ataque, Deus avisava Eliseu, que comunicava ao rei israelita. Assim, todas as investidas do inimigo eram malsucedidas. Por isso, o monarca decidiu capturar o profeta, para evitar que ele continuasse informando o rei adversário de seus planos de ataque. Eliseu estava na localidade de Dotã; por isso, o rei sírio mandou uma grande tropa para aprisioná-lo, com cavalos e carros de guerra, que cercou a cidade durante a noite.

Logo pela manhã, o servo de Eliseu acordou e entrou em pânico quando vislumbrou o cerco. A resposta do profeta é extraordinária: "Não tenha medo. Aqueles que estão conosco são mais numerosos do que eles" (2Rs 6.16). O desenlace dessa história mostra que, mesmo invisíveis, os anjos desempenham papel importante na proteção do povo de Deus. "Eliseu orou: 'SENHOR, abre os olhos dele para que veja'. Então o SENHOR abriu os olhos do rapaz, que olhou e viu as colinas cheias de cavalos e carros de fogo ao redor de Eliseu" (2Rs 6.17).

Quem está na jornada com Cristo desfruta dessa proteção e, também, do serviço dos anjos. Mas lembre-se sempre de que, embora a presença deles em nossa vida seja reconfortante, em si mesmos eles não devem ser supervalorizados: anjos são uma expressão do amor de Deus por você, e tudo aquilo que eles fazem em seu favor deve gerar adoração e gratidão somente ao Senhor.

Isso fica claro no último capítulo da Bíblia, quando o apóstolo João, após ter uma visão celestial, relata: "Eu [...] caí aos pés do anjo que me mostrou tudo aquilo, para adorá-lo. Mas ele me disse: 'Não faça isso! Sou servo como você e seus irmãos, os profetas, e como os que guardam as palavras deste livro. Adore a Deus!'" (Ap 22.8-9).

Tenha sempre esta mensagem muito clara: anjos apenas refletem o cuidado de Deus, a quem são devidos todo culto e toda adoração. A ninguém mais.

Seu Pai o protege e cuida de você. Essa é a mensagem maior da presença dos anjos em sua vida. Desfrute desse amor.

Fique tranquilo

> Há dois erros semelhantes, mas opostos, que os seres humanos podem cometer quanto aos demônios. Um é não acreditar em sua existência. O outro é acreditar que eles existem e sentir um interesse excessivo e pouco saudável por eles.
>
> C. S. Lewis

Acredite você ou não, Satanás e os demônios existem.

Em dias da primazia da ciência, muitos tentam encontrar explicações naturais para as manifestações demoníacas, como ataques epiléticos, histeria, a personificação da maldade humana e coisas parecidas. Será?

É interessante notar que Jesus trata Satanás como um ser pessoal e, inclusive, se refere a ele pelo nome: "Retire-se, Satanás!" (Mt 4.10). "Eu vi Satanás caindo do céu como relâmpago" (Lc 10.18). "Satanás pediu vocês para peneirá-los como trigo" (Lc 22.31). Em sua primeira aparição ao apóstolo Paulo, Cristo explica que o enviava para pregar o evangelho aos não judeus "para abrir-lhes os olhos e convertê-los das trevas para a luz, e do poder de Satanás para Deus" (At 26.18).

A Bíblia reafirma a existência de Satanás em muitas outras passagens (Lc 22.3; At 5.3). O mesmo se aplica aos demônios, mencionados muitas vezes ao longo do Novo Testamento, com nomes como "espíritos imundos" (At 8.7) ou "espíritos malignos" (At 19.12).

Portanto, sim, Satanás existe. Sim, os demônios existem.

Embora os detalhes da queda de Satanás não sejam apresentados de modo explícito, infere-se, por passagens como Ezequiel 28 e Isaías 14, que ele foi um anjo a serviço de Deus (possivelmente um querubim), até que a maldade entrou em seu coração. Então, ele se encheu de violência e pecou, rebelando-se contra o Senhor. Com isso, o Criador o expulsou de sua presença e o lançou, "humilhado, para longe do monte de Deus" (Ez 28.16).

Já a origem dos demônios infere-se por passagens como Apocalipse 12. O apóstolo João teve uma visão: "O grande dragão foi lançado fora. Ele é a antiga serpente chamada Diabo ou Satanás, que engana o mundo todo" (Ap 12.9). Esse mesmo dragão faz algo extraordinário: "Sua cauda arrastou consigo um terço das estrelas do céu" (Ap 12.4). É opinião da maioria dos teólogos que isso se refere ao fato de Satanás ter conquistado para sua rebelião um terço dos anjos, que, expulsos da presença de Deus, passaram a se dedicar à maldade.

Assim, o anjo tornou-se Satanás (palavra que significa "adversário"), o Diabo ("acusador"), o "príncipe dos demônios" (Mt 12.24), e os anjos que o seguiram tornaram-se demônios. Satanás é homicida (Jo 8.44) e pai da mentira (Jo 8.48), tentador (Mt 4.3), enganador (Ap 12.9) e lidera um exército contra Deus e os seres humanos, e seus soldados malignos procuram conduzir a humanidade ao pecado (Gn 3; Ef 6.12), provocam doenças (Jó 2.7; Mc 9.17; Mt 12.22) e disseminam o mal.

Isso tudo assusta você?

Fique tranquilo.

Embora esses espíritos malignos causem uma boa dose de dor e sofrimento, a vitória sobre eles para quem está na jornada com Cristo é garantida: "Resistam ao Diabo, e ele fugirá de vocês" (Tg 4.7). Os demônios têm poder limitado, restrito pela vontade de Deus, e só podem fazer o que lhes é permitido (Jó 1.12; 2.6).

Casos de possessão demoníaca assustam você?

Fique tranquilo.

A Bíblia relata essa possibilidade. Mas a expulsão dos espíritos imundos deve ocorrer segundo o padrão de Cristo: "Cale-se e saia dele!" (Mc 1.25). E esta é uma promessa válida hoje: "Estes sinais acompanharão os que crerem: em meu nome expulsarão demônios..." (Mc 16.17). Quem está na jornada com Cristo não precisa temer possessão demoníaca, uma vez que uma mesma pessoa não pode ser habitação do Espírito Santo e de demônios, ao mesmo tempo. Assim, a ação de Satanás na vida dos cristãos se dá no campo da tentação, externamente, jamais como possessão: "O Diabo, o inimigo de vocês, *anda ao redor* como leão, rugindo e procurando a quem possa devorar" (1Pe 5.8).

Demônios assustam você?

Fique tranquilo.

Eles têm destino certo: "o fogo eterno, preparado para o Diabo e os seus anjos" (Mt 25.41). "O Diabo, que as enganava, foi lançado no lago de fogo que arde com enxofre, onde já haviam sido lançados a besta e o falso profeta. Eles serão atormentados dia e noite, para todo o sempre" (Ap 20.10).

Sim, Satanás existe. Sim, os demônios existem. Mas, pelo poder de Cristo, somos vitoriosos sobre ele: "Portanto, visto que os filhos são pessoas de carne e sangue, ele [Jesus] também participou dessa condição humana, para que, por sua morte, derrotasse aquele que tem o poder da morte, isto é, o Diabo" (Hb 2.14). Por isso, não se assuste, pois "Em breve o Deus da paz esmagará Satanás debaixo dos pés de vocês" (Rm 16.20).

Fique tranquilo.

Solidão nunca mais

> Onde quer que Cristo esteja, aí também se encontra a igreja.
>
> INÁCIO DE ANTIOQUIA

Quando você pensa no título deste livro, *Na jornada com Cristo*, que imagem lhe brota na mente? Pense um pouco, eu espero.

Pensou?

OK, vamos lá.

Deixe-me ver se acerto: a imagem que veio ao seu pensamento foi a de você e Jesus caminhando juntos por, digamos, uma estrada. Acertei? Se é essa a imagem que vem à sua cabeça, permita-me dizer que ela está errada. E eu explico. Mas, para isso, precisamos falar sobre solidão.

Solidão. Quem gosta?

O solitário costuma ser uma pessoa entristecida, cabisbaixa, carente. E isso porque ninguém existe ou foi criado para viver em solidão.

Solidão é uma anomalia.

Deus não é solitário. Desde a eternidade, ele é uma coletividade: Pai, Filho e Espírito Santo.

Deus não criou o homem para ser solitário: "Não é bom que o homem esteja só; farei para ele alguém que o auxilie e lhe corresponda" (Gn 2.18).

Sim, Deus nos fez para viver em comunhão, isto é, coparticipação, união, ligação, realização de algo em comum.

Por que, então, ele gostaria que seus filhos vivessem sós, distantes uns dos outros? Não, ele quer que seus filhos vivam juntos, como "família da fé" (Gl 6.10). O apóstolo Paulo escreveu: "Portanto, vocês já não são estrangeiros nem forasteiros, mas concidadãos dos santos e membros da família de Deus" (Ef 2.19). Uma vez que estamos na jornada com Cristo, devemos fazê-la com outros cristãos.

Sabe aquela imagem inicial, errada, de você e Jesus andando sozinhos por uma estrada? Pois bem, vamos mudar essa imagem pela verdadeira. A partir de agora, quando você pensar no título deste livro, *Na jornada com Cristo*, o que lhe deve vir à mente é você e Jesus andando juntos, sim, mas acompanhados do Pai e do Espírito Santo e de uma enorme e inumerável multidão de pessoas: a Igreja, isto é, todos os milhões de pessoas chamados por Deus para a salvação ao longo da História.

Sua jornada não pode ser solitária: uma vez que você está inserido na Igreja, deve caminhar sempre com seus irmãos e irmãs em Cristo.

A Bíblia usa uma metáfora muito esclarecedora para mostrar o que é a Igreja: o corpo de uma pessoa. "Ora, assim como o corpo é uma unidade, embora tenha muitos membros, e todos os membros, mesmo sendo muitos, formam um só corpo, assim também com respeito a Cristo" (1Co 12.12). Portanto, cada cristão é um membro do Corpo de Cristo: eu sou o pâncreas, você é o rim esquerdo e assim por diante. Somos todos indispensáveis e precisamos uns dos outros.

> O corpo não é feito de um só membro, mas de muitos. [...] O olho não pode dizer à mão: "Não preciso de você!" Nem a cabeça pode dizer aos pés: "Não preciso de vocês!" [...] Mas Deus estruturou o corpo dando maior honra aos membros que dela tinham falta, a fim de que não haja divisão no corpo, mas, sim, que todos os membros tenham igual cuidado uns pelos outros. Quando um membro sofre, todos os outros sofrem com ele; quando um membro é honrado, todos os outros se alegram com ele. Ora, vocês são o corpo de Cristo, e cada um de vocês, individualmente, é membro desse corpo.
>
> 1Coríntios 12.14,21,24-27

O fato de todos os que foram salvos por Jesus caminharem juntos, como Igreja, significa que devem viver em unidade, como um só povo, e estar separados daquilo que é pecaminoso, vivendo em santidade. Que as portas da família da fé estão sempre abertas para novos membros, que se arrependeram de sua vida de pecados e depositaram fé em Cristo como Senhor e Salvador. E que reconhecem a autoridade suprema das escrituras dos apóstolos.

Assim, uma vez que você inicia a jornada com Cristo, como membro da Igreja, você passa a ter uma tripla tarefa comunitária: pregar o evangelho, viver as ordenanças (batismo e ceia do Senhor) e orar. Além disso, passa a fazer parte de uma comunidade de adoração, ministério, testemunho e serviço, que existe na comunhão entre os cristãos.

Portanto, qualquer grupo de cristãos (uma igreja local, uma turma de amigos, dois cristãos que vão ao restaurante comer uma *pizza* ou o que for) deve ser um grupo ativo, integrado, prestativo, consciente de suas responsabilidades para com Deus e que desfruta do privilégio da companhia uns dos outros.

Você está na jornada com Cristo? Então deve caminhar abençoando seus irmãos e sendo abençoado por eles, encorajando e sendo encorajado, admoestando e sendo admoestado, intercedendo e recebendo intercessão, ofertando de si e recebendo dos outros.

E, com isso, dê adeus à solidão.

Só paz

> Em nada, a não ser no céu, vale a pena colocar nosso coração.
>
> RICHARD BAXTER

A jornada com Cristo tem um nome diferente na Bíblia.

Vida eterna.

Ao contrário do que muitos pensam, a vida eterna não começa no momento da morte dos salvos, mas no instante do novo nascimento. Assim que o pecador é alcançado pela graça, recebe Jesus pela fé como seu Salvador e Senhor, e é justificado, ele passa da morte espiritual para a vida espiritual. Assim, o seu último suspiro no corpo é apenas um passo da vida para a vida.

Um dia, porém, as coisas mudarão e a jornada sofrerá uma guinada radical. Jesus disse: "E eu estarei sempre com vocês, *até o fim dos tempos*" (Mt 28.20). Sim, os tempos em que vivemos, do modo como os conhecemos, acabarão. E o cosmos passará a existir segundo uma nova realidade.

Como será exatamente o fim dos tempos é difícil dizer. Existem muitas teorias, mas o importante é que você deposite sua esperança naquilo que é certo:

independentemente de "teorias escatológicas", a Bíblia não deixa dúvida de que Jesus voltará. Depois que Cristo ascendeu aos céus, na presença dos discípulos, "surgiram diante deles dois homens vestidos de branco, que lhes disseram: 'Galileus, por que vocês estão olhando para o céu? Este mesmo Jesus, que dentre vocês foi elevado aos céus, *voltará da mesma forma como o viram subir*'" (At 1.10-11).

O fim dos tempos será antecedido por uma série de eventos, cuja ordem cronológica exata envolve muita especulação. Certo é que falsos cristos se apresentarão como sendo o Messias. Haverá guerras e rumores de guerras. Nação se levantará contra nação, e reino contra reino. Haverá fome e terremotos em vários lugares. A maldade aumentará e o amor de muitos esfriará. Então, o evangelho do reino será pregado em todo o mundo.

Nos últimos dias, a terra viverá momentos de muita angústia: "haverá então grande tribulação, como nunca houve desde o princípio do mundo até agora, nem jamais haverá" (Mt 24.21). Sinais surgirão no céu. O anticristo (a besta) e o falso profeta, duas figuras associadas a Satanás, despontarão, promovendo maldade e horror.

E, então, acontecerá.

Todos "verão o Filho do homem vindo nas nuvens do céu com poder e grande glória. E ele enviará os seus anjos com grande som de trombeta, e estes reunirão os seus eleitos dos quatro ventos, de uma a outra extremidade dos céus" (Mt 24.30-31). Será o momento da ressurreição dos mortos. "Pois, dada a ordem, com a voz do arcanjo e o ressoar da trombeta de Deus, o próprio Senhor descerá dos céus, e os mortos em Cristo ressuscitarão primeiro. Depois nós, os que estivermos vivos, seremos arrebatados com eles nas nuvens, para o encontro com o Senhor nos ares. E assim estaremos com o Senhor para sempre" (1Ts 4.16-17).

O Diabo finalmente vai pagar a pena por seu pecado contra Deus, "lançado no lago de fogo que arde com enxofre, onde já haviam sido lançados a besta e o falso profeta. Eles serão atormentados dia e noite, para todo o sempre" (Ap 20.10).

Será momento de juízo e condenação para os que viveram sem Jesus. Em sua visão sobre o fim dos tempos, o apóstolo João viu os mortos serem julgados de acordo com o que tinham feito. "Aqueles cujos nomes não foram encontrados no livro da vida foram lançados no lago de fogo" (Ap 20.15).

Se por um lado será hora de condenação para os que viveram sua jornada sem Cristo, por outro será momento de alegria e celebração para os que viveram na jornada *com* Cristo. Deus implementará, por fim, uma nova ordem: "Então vi novos céus e nova terra, pois o primeiro céu e a primeira terra tinham passado; e o mar já não existia. Vi a Cidade Santa, a nova Jerusalém, que descia dos céus, da parte de Deus, preparada como uma noiva adornada para o seu marido" (Ap 21.1-2).

Por fim, será estabelecido o estado definitivo da criação de Deus, a realidade final, aquilo que chamamos de *eternidade*: "Ouvi uma forte voz que vinha do trono e dizia: 'Agora o tabernáculo de Deus está com os homens, com os quais ele viverá. Eles serão os seus povos; o próprio Deus estará com eles e será o seu Deus. Ele enxugará dos seus olhos toda lágrima. Não haverá mais morte, nem tristeza, nem choro, nem dor'" (Ap 21.3-4).

Sim, as profecias sobre o fim dos tempos preveem certa dose de sofrimento. Mas, para quem está na jornada com Cristo, não há absolutamente nada a temer. Pois chegará, afinal, o momento do fim do sofrimento — de todo o *seu* sofrimento. Se você está na jornada com Cristo, vai prosseguir nessa jornada na companhia do Senhor não só nesta vida, mas por toda a eternidade. Sem morte. Nem tristeza. Nem choro. Nem dor.

Só paz.

Tire um momento para refletir

Vivemos cercados por anjos e demônios. Os anjos têm diversas linhas de atuação: servem os salvos e agem na adoração a Deus, no auxílio à execução de juízos e nos anúncios de mensagens divinas para os homens, na instrução, na orientação e na proteção dos cristãos.

Já os demônios são anjos que, seduzidos pelo mal, foram expulsos da presença de Deus. Seu líder é Satanás, anjo que se rebelou contra Deus e foi condenado ao exílio e, por fim, ao sofrimento eterno. Os cristãos podem resistir aos demônios e, pelo poder do nome de Jesus, até mesmo expulsá-los.

Como cristãos, fazemos parte de um corpo, formado por todos os salvos: a Igreja. No fim dos tempos, Jesus voltará para buscar essa mesma Igreja, executar seu juízo contra os demônios e os homens que não o receberam por fé e iniciar uma nova era na existência, em que todo sofrimento será extinto e viveremos na presença de Deus.

É o que veremos em seguida... não neste livro, mas assim que Jesus voltar.

Tire um momento para orar

Deus, agradeço por enviares teus anjos para me servir e proteger. Peço que dês ordens a eles a meu respeito, para que me guardem em todos os meus caminhos. Junto-me a eles em adoração a ti, por saber que és o único digno de todo o louvor. Livra-me da influência maligna de Satanás e seus demônios, que eu não seja seduzido por sua tentação nem alcançado por seus dardos inflamados.

Agradeço ainda por poder fazer parte da tua família de fé, que, embora imperfeita, é o grupo de pessoas que escolheste para ti. Que nada impeça nossa comunhão nem me afaste da convivência com os irmãos. Guarda-me até a volta de teu Filho, para que eu entre pelas portas da eternidade e viva para sempre em tua presença. Assim te peço. Amém.

Palavras finais

Ter Cristo na jornada faz toda a diferença. Como Jesus é o caminho, ninguém melhor do que ele para conduzir você pela vida, de hoje até a eternidade.

Peço a Deus que a leitura deste livro tenha sido agradável e proveitosa para você. Agora que a terminou, permita-me dar algumas explicações, que reservei para o final. Os textos que compõem esta obra foram escritos com muito cuidado, para cumprir um triplo objetivo.

Primeiro, *instrução.* Cada texto foi baseado em uma área daquilo que chamamos de teologia sistemática, isto é, os princípios fundamentais da fé cristã organizados por tema, de forma ordenada, racional e coerente. Normalmente, os assuntos que tratei aqui são ensinados — com mais profundidade, evidentemente — em seminários teológicos, em livros de centenas de páginas e numa linguagem acadêmica. Meu objetivo, porém, foi transmitir o cerne desse mesmo conteúdo, num estilo leve e de forma agradável.

Se você nunca estudou teologia, mas percorreu todas as páginas deste livro, chegou até aqui com um conhecimento muito maior das doutrinas fundamentais e principais do cristianismo, nas seguintes áreas: teologia fundamental (os fundamentos da fé), bibliologia (o estudo da Bíblia), hamartiologia (a doutrina do pecado), soteriolologia (a doutrina da salvação), teontologia (o estudo de Deus), cristologia (o estudo de Cristo), pneumatologia (o estudo do Espírito Santo), angelologia (o estudo dos anjos), demonologia (o estudo de Satanás e os demônios) e escatologia (o estudo dos acontecimentos finais).

Segundo, *edificação*. Meu objetivo não foi apenas transmitir conhecimento, mas, principalmente, mostrar como ele pode ser aplicado de forma prática à sua vida. Assim, ao final ou ao longo de cada texto, procurei mostrar como é possível viver os ensinamentos da teologia no dia a dia. Ao mesmo tempo que este livro oferece conhecimento, também tem função e aplicação na sua rotina. Nada do que foi escrito aqui é inútil para sua jornada, não é conhecimento vazio. Pois a teologia só faz sentido se tiver desdobramentos na vida cotidiana de quem a estuda. Eis a beleza do estudo da teologia cristã: não é a mera aquisição de conhecimentos; é a aquisição de princípios de vida — e vida eterna.

Terceiro, *proclamação do evangelho*. Este livro pode e deve ser presenteado a pessoas que não conhecem verdadeiramente o Jesus apresentado na Bíblia e, por isso, ainda não fizeram uma aliança de relacionamento pessoal com ele. Ao longo das páginas desta obra, expus o plano de salvação: como o pecado entrou na humanidade e nos separou de Deus, como o Senhor providenciou nossa salvação por meio de Cristo, como foi a obra redentora de Jesus e o que é necessário para ser salvo.

Se você nunca recebeu Jesus como Senhor de sua vida e Salvador de sua alma e foi tocado pelas verdades eternas expostas nas páginas deste livro, saiba que pode começar neste mesmo instante a sua jornada com Cristo. Gostaria de ajudá-lo nesse sentido. Se o desejo de seu coração é ter Jesus como seu companheiro na vida e na eternidade, comece por fazer esta oração:

> Pai, reconheço que sou pecador e que, por isso, vivo distante de ti. Arrependo-me dos meus pecados e entrego minha vida a Jesus Cristo, que morreu por mim na cruz, ressuscitou e ascendeu aos céus. Eu o reconheço e o confesso como Senhor e Salvador, por isso peço que me justifiques, regeneres e adotes como teu filho. Sei que não tenho como ser salvo da condenação do inferno por méritos pessoais, por isso me entrego à tua graça e recebo Cristo pela fé. Repudio as obras de Satanás e reconheço a tua vontade soberana. Que o teu Espírito Santo me conduza e me ajude a praticar as boas obras decorrentes da realidade que agora abraço. Livra-me do mal, protege-me e guarda-me, para que eu me mantenha fiel a ti até o fim. E que, após meu último suspiro, eu entre em teu reino celestial, para viver para sempre contigo. Obrigado por me convidares para estar na jornada contigo. Amém.

Se você fez essa oração em espírito e em verdade, é importante que, a partir de agora, continue crescendo no conhecimento da fé e na prática das boas obras que agradam a Deus. Recomendo, para isso, que se aproxime de outros membros do Corpo de Cristo, a Igreja, para ser acompanhado, acolhido, instruído e conduzido nos caminhos da fé. E que sua vida seja cheia de virtude e da alegria que só Jesus pode dar.

Você está na jornada com Cristo? Então siga adiante com um sorriso no rosto, pois o que o espera é uma maravilhosa e extraordinária viagem, cheia de graça transbordante, paz sobrenatural e um amor incomparável, transformador e que excede todo entendimento.

Notas

[1] Os princípios fundamentais de interpretação da Bíblia são os seguintes: *Princípios gerais*: 1) Parta do pressuposto de que ela é a autoridade suprema em questão de religião, fé e doutrina. 2) Lembre-se de que a Bíblia é a melhor intérprete de si mesma, isto é, a Bíblia interpreta a própria Bíblia. 3) Dependa da fé salvadora e do Espírito Santo para a compreensão e a interpretação da Bíblia. 4) Interprete sua experiência pessoal à luz da Bíblia, e não o contrário. 5) Saiba que os exemplos bíblicos só têm autoridade prática quando amparados por uma ordem que os torne mandamento universal.
Princípios gramaticais: 1) O texto bíblico tem apenas um sentido, que deve ser tomado literalmente. 2) As palavras do texto bíblico devem ser interpretadas no sentido que tinham no tempo do autor. 3) As palavras do texto bíblico devem ser interpretadas em relação à sua sentença e ao seu contexto. 4) Quando um ser inanimado é usado para descrever um ser vivo, a proposição pode ser considerada figurada. 5) As principais partes e figuras de uma parábola representam certas realidades.
Princípios históricos: 1) Uma palavra nunca é compreendida completamente até que se possa entendê-la como palavra viva, isto é, originada na alma do autor. 2) É impossível entender um autor e interpretar corretamente suas palavras sem que ele seja visto à luz das circunstâncias históricas. 3) As Escrituras devem ser interpretadas à luz da História. 4) Tanto o Antigo quanto o Novo Testamento são partes essenciais da revelação progressiva de Deus e formam uma unidade.

5) Os fatos ou acontecimentos históricos tornam-se símbolos de realidades espirituais apenas se as Escrituras assim os designarem. *Princípios teológicos*: 1) Compreenda gramaticalmente a Bíblia, antes de entendê-la teologicamente. 2) Uma doutrina não pode ser considerada bíblica, a menos que resuma e inclua tudo o que a Bíblia diz sobre ela. 3) Quando parecer que duas doutrinas ensinadas na Bíblia são contraditórias, aceite ambas como verdadeiras, crendo com confiança que elas se explicarão dentro de uma unidade mais elevada. 4) Um ensinamento implícito nas Escrituras pode ser considerado bíblico quando uma comparação de passagens correlatas o apoia.
Para um aprofundamento no assunto e uma maior compreensão de cada um desses princípios, recomendo a leitura do livro *Entendes o que lês?*, de Gordon Fee e Douglas Stuart.

[2] *Catecismo menor de Westminster*, pergunta 14.

[3] Louis BERKHOF, *Teologia sistemática*, p. 489.

[4] Maurício ZÁGARI, *Perdão total*, p. 180-181.

[5] São os chamados argumentos ontológico, cosmológico, teleológico, moral e histórico, além das cinco vias de Tomás de Aquino.

[6] Você pode conferir uma lista bastante extensa das profecias do Antigo Testamento sobre Jesus em: <http://solascriptura-tt.org/Cristologia/ProfMessianicasCumpridas-Biblicist.htm>. Acesso em: 29 de jan. de 2016.

[7] A Bíblia mostra que Jesus apareceu a centenas de pessoas nos quarenta dias em que permaneceu na terra, após a ressurreição: Maria Madalena (Jo 20.11-18), dez discípulos (Jo 20.19-23), onze discípulos (Jo 20.26-29), sete discípulos (Jo 21.1-4), Pedro (Lc 24.34; 1Co 15.5); Maria Madalena e a outra Maria (Mt 28.1,9-10), Joana e outras mulheres (Lc 24.1-10); onze discípulos (Mt 28.16-17), dois discípulos na estrada para Emaús (Lc 24.13-35), quinhentos galileus (1Co 15.6), Tiago (1Co 15.7), todos os apóstolos (1Co 15.7) e Paulo (1Co 15.8).

[8] Franklin FERREIRA e Alan MYATT, *Teologia sistemática*, p. 685-686.

Bibliografia utilizada e recomendada

AGOSTINHO. *Da natureza e da graça*, 415 a.D.

ANSELMO DE CANTUÁRIA. *Proslogion*. Covilhã: LusoSofia Press, 2008.

AQUINO, Tomás de. *Suma contra os gentios*. Porto Alegre: EDIPUCRS, 1996.

———. *Suma teológica*. São Paulo: Loyola, 2000—2006.

BARTH, Karl. *Church Dogmatics*. Edinburgh: T&T Clark, 1936—1977.

BERKHOF, Louis. *Princípios de interpretação bíblica*. Rio de Janeiro: Juerp, 1981.

———. *Teologia sistemática*. São Paulo: Cultura Cristã, 2002.

BODIN, Jean. *Universae Naturae Theatrum*. Frankfurt, 1597.

BROWNE, Thomas. *Religio Medici*. Londres, 1642.

CALVINO, João. *As institutas da religião cristã*. São Paulo: Cultura Cristã, 2006.

FEE, Gordon e STUART, Douglas. *Entendes o que lês?* São Paulo: Vida Nova, 2011.

FERREIRA, Franklin e MYATT, Alan. *Teologia sistemática: uma análise histórica, bíblica e apologética para o contexto atual*. São Paulo: Vida Nova, 2007.

GRUDEM, Wayne. *Teologia sistemática*. São Paulo: Vida Nova, 1999.

HENRICHSEN, W. A. *Métodos de estudo bíblico*. São Paulo: Mundo Cristão, 1980.

———. *Princípios de interpretação da Bíblia*. São Paulo: Mundo Cristão, 1980.

James VI. *Basilikon Doron: Or His Majesties Instructions to His Dearest Son, Henry the Prince.* Londres, 1603.

Lewis, C. S. *Cartas de um diabo ao seu aprendiz.* São Paulo: Martins Fontes, 2005.

Lloyd-Jones, Martyn. *Grandes doutrinas da Bíblia: Deus o Pai, Deus o Filho.* São Paulo: PES, 1997.

Lopes, Augustus Nicodemus. "Anjos no Novo Testamento", *Fides Reformata,* v. 10, nº 2, p. 11-19.

———. *O que você precisa saber sobre batalha espiritual.* São Paulo: Cultura Cristã, 1998.

Magno, Leão. *Sermões.* São Paulo: Paulus, 1996.

McGrath, Alister E. *Teologia sistemática, histórica e filosófica.* São Paulo: Shedd Publicações, 2005.

Olson, Roger. *História das controvérsias na teologia cristã.* São Paulo: Vida, 2003.

Packer, J. I. *O conhecimento de Deus.* São Paulo: Mundo Cristão, 1994.

Souza, Ricardo Barbosa de. "A Trindade, o pessoal e o social na espiritualidade cristã", *Vox Scripturae,* v. 5, nº 1, mar. de 1995.

Stott, John. *Romanos.* São Paulo: ABU, 2000.

Venning, Ralph. *O pecado é coisa séria.* São Paulo: PES, 2007.

Zágari, Maurício. *O fim do sofrimento: um livro para quem busca consolo e esperança nos momentos mais sombrios.* São Paulo: Mundo Cristão, 2015.

———. *Perdão total: um livro para quem não se perdoa e para quem não consegue perdoar.* São Paulo: Mundo Cristão, 2014.

Sobre o autor

Maurício Zágari é escritor, editor, jornalista e teólogo. Recebeu os Prêmios Areté de "Autor Revelação do Ano" e de "Melhor Livro de Ficção/Romance" pelo livro *O enigma da Bíblia de Gutemberg.* É autor também dos livros *A verdadeira vitória do cristão, 7 enigmas e um tesouro* e *O mistério de Cruz das Almas.* Pela Editora Mundo Cristão, publicou as obras *Perdão total: um livro para quem não se perdoa e para quem não consegue perdoar, O fim do sofrimento: um livro para quem busca consolo e esperança nos momentos mais sombrios* e *Confiança inabalável: um livro para quem quer vencer o medo e a ansiedade.* Escreve regularmente em seu *blog* Apenas <apenas1.wordpress.com>.

Membro da Igreja Cristã Nova Vida em Copacabana (Rio de Janeiro, RJ), é casado com Alessandra e pai de Laura.

Compartilhe suas impressões de leitura escrevendo para:
opiniao-do-leitor@mundocristao.com.br
Acesse nosso *site*: www.mundocristao.com.br

Equipe MC: Silvia Justino
Daniel Faria
Heda Lopes
Fernanda Rosa
Natália Custódio
Diagramação: Luciana Di Iorio
Revisão: Josemar de Souza Pinto
Gráfica: Assahi
Fonte: Baskerville
Papel: Pólen Soft 70 g/m² (miolo)
Cartão 250 g/m² (capa)